LA BIBLIA ILUSTRADA DE LOS NIÑOS

Redacción: Jane Chisholm y Georgina Andrews

Manipulación fotográfica: John Russell

Con la colaboración del diseñador Nickey Butler

Traducción: Gemma Alonso de la Sierra

Redacción en español: Isabel Sánchez Gallego y Carla Brown

LA BIBLIA ILUSTRADA
DE LOS NIÑOS

Con ilustraciones de
Elena Temporin

Adaptación: Heather Amery

Diseño: Laura Fearn

Sumario

El Antiguo Testamento

El Nuevo Testamento

EL ANTIGUO TESTAMENTO

La creación

Hace muchísimos siglos, en el principio de los tiempos, Dios creó el cielo y la tierra. Antes no había más que un espacio enorme de aguas turbias y tenebrosas. Dios miró las tinieblas e hizo la luz. Con la luz del día y la oscuridad de la noche, transcurrió el primer día de todos los tiempos.

El segundo día, Dios creó el cielo. Puso agua en el cielo en forma de nubes y, con el resto, creó los mares. Entre el cielo y los mares surgió el aire.

Entonces, Dios reunió los mares e hizo aparecer tierra firme entre unos y otros. Ordenó que crecieran plantas y árboles de todo tipo para producir semillas y frutos. Esto ocurrió durante el tercer día.

El cuarto día, Dios creó un sol radiante para que iluminara el día, así como una luna plateada y estrellas para que brillaran en la noche. Juntos, servirían para distinguir las estaciones.

Al día siguiente, Dios creó todos los peces y las demás criaturas que surcan los mares, más todas las aves que vuelan por los aires. Los bendijo y les ordenó que tuvieran crías y que poblaran todos los rincones de la tierra.

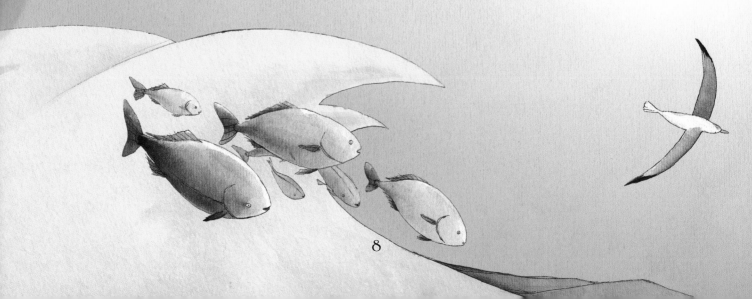

El sexto día, Dios hizo a todos los seres que viven sobre tierra, desde las grandes bestias salvajes hasta los insectos más diminutos que se arrastran por las plantas.

Luego, Dios formó al hombre de un puñado de polvo y con un soplo le dio vida. Llamó a este hombre Adán y, para que no estuviera solo, creó también a una mujer, a la que llamó Eva.

En esos seis días, Dios hizo el mundo y todos los seres vivos —los árboles y las plantas, las aves, los peces y los animales, y los primeros seres humanos—. Dios contempló todo lo que había hecho y vio que era bueno.

El séptimo día, Dios descansó. Por eso, Dios lo bendijo y proclamó que todo séptimo día sería un día de descanso.

9

Adán y Eva

Dios creó un jardín muy hermoso para Adán y Eva, que llamó Edén, e hizo brotar del suelo todas las flores y árboles que producían fruta para comer. En medio del jardín se erigía el árbol de la ciencia del bien y del mal. Dios puso a Adán y a Eva en el Edén y les ordenó que lo cuidaran. Les dijo: "Podéis comer la fruta de todos los árboles, menos la del árbol del conocimiento del bien y del mal, porque si lo hacéis, moriréis".

Adán y Eva vivían felices en el Edén, entre ríos de agua cristalina y todos los animales y las aves que Dios había creado. Adán les puso nombre y era amigo de todos ellos. A veces, en las tardes cálidas de verano, Dios paseaba por el jardín con Adán y Eva y hablaba con ellos.

Un día, durante el sopor de la tarde, una serpiente se acercó a Eva mientras estaba sola. "¿Así que Dios os ha dicho que no comáis de ninguno de los árboles del huerto?", susurró al oído de la mujer.

"No. Podemos comer todos los frutos, menos el del árbol de la ciencia", contestó Eva. "Si lo tocamos o lo comemos, moriremos".

"¡No moriréis!", susurró la
serpiente. "Dios sabe que si
coméis el fruto, seréis como
dioses y conoceréis el bien y
el mal".

La serpiente se escabulló y Eva se
quedó pensando. Al cabo de un rato,
fue hasta el árbol del conocimiento,
en medio del jardín. Sus frutos eran
hermosos y Eva deseó ser sabia como
un dios. Arrancó la fruta prohibida y
la probó.

Cuando Adán la encontró junto al árbol,
Eva le ofreció el resto de la fruta y él la
comió. Entonces, se miraron y se dieron
cuenta de que estaban desnudos. Entrelazaron
hojas de higuera y se taparon con ellas. Una
vez vestidos, pudieron mirarse de nuevo.

Esa tarde, Dios fue a
pasear por el Edén, pero
no encontraba a Adán por
ninguna parte. "¿Dónde estás, Adán?", preguntó. "Estoy aquí",
contestó Adán. "Me escondo porque ahora sé que estoy desnudo".

"¿Cómo lo has sabido? ¿Has comido acaso del árbol de la ciencia
que te prohibí tocar?", preguntó Dios. "Eva me ofreció su fruto",
respondió Adán.

"Eva, ¿por qué me desobedeciste?", preguntó Dios. "La serpiente
me dijo que no moriría, sino que sería sabia", fue la respuesta de
Eva. "Por haberme desobedecido, debéis abandonar el jardín del
Edén. Tendréis que trabajar duramente para cultivar vuestro alimento,
la tierra será árida y pedregosa y vuestros pies andarán sobre espinas
y cardos. Cuando os hagáis viejos, moriréis", dijo Dios. "Si os
hubiera dejado permanecer en el Edén, podríais haber comido la
fruta del árbol de la vida y hubieseis sido inmortales. Ahora, marchad".

Dios condujo a Adán y a Eva a las puertas del
jardín y los vistió con túnicas de piel. De
allí partieron, muy tristes, a comenzar
su nueva y dura vida. Dios envió
a un ángel con una espada de
fuego a guardar el árbol de
la vida y puso a más
ángeles a guardar el jardín
del Edén para que nunca
volviera a entrar nadie.

El arca de Noé

Muchísimos años más tarde, Dios volvió a mirar el mundo que había creado y se arrepintió. Los hombres que poblaban todos los rincones de la tierra eran malvados: eran crueles los unos con los otros y habían dejado de escucharle. Dios decidió destruirlo todo con un diluvio universal.

Tan solo había un hombre que amaba a Dios y lo obedecía. Su nombre era Noé y Dios le dijo un día: "Debes construir un arca, un gran barco, para salvar a tu familia y a los animales de la tierra del diluvio. Te explicaré cómo debes construirla exactamente".

Noé escuchó con atención y puso manos a la obra. Taló árboles de la madera adecuada y reunió todas las cosas que necesitaba. Con la ayuda de sus tres hijos, comenzó a construir el arca. Trazaron la forma del barco en el suelo y levantaron un armazón de madera, que luego cubrieron con tablas. Revistieron la madera con brea por dentro y por fuera para hacerla impermeable. Al cabo de muchos meses de trabajo, el arca estaba terminada: tenía tres cubiertas, una puerta en el costado y un tejado. Noé la construyó exactamente como Dios le había ordenado. Luego se dispuso a recoger con su familia toda la comida y el agua que necesitaban para ellos y para los animales y pasaron días cargando el arca.

Justo mientras comprobaban
que todo estaba listo, el cielo se
ensombreció con grandes nubarrones
negros que ocultaron el sol y se desató
una tormenta.

Noé oyó un gran ruido que se hacía cada
vez más fuerte. Dejó lo que estaba haciendo
y miró a las montañas, desde donde venía
una gran procesión de animales en una fila
interminable de rugidos, silbidos, ladridos, mugidos
y cantos; estaba formada por una pareja de cada
una de las especies que existía en el mundo. Noé se
quedó contemplándolos y pensando si cabrían
todos en su arca. Los animales fueron
entrando y hubo el sitio justo para todos
ellos. Luego, cuando embarcaron Noé y su
mujer, sus tres hijos y sus tres nueras, Dios
cerró la puerta.

Siguió lloviendo durante cuarenta días y cuarenta
noches y las aguas fueron creciendo y cubriendo
toda la tierra. El agua siguió subiendo hasta alcanzar las
cumbres de los montes más altos y todos los seres
murieron ahogados.

14

El arca salió flotando y durante meses fue zarandeada por las
olas del gran mar que había formado el diluvio. Por fin un día,
Noé notó que la lluvia había cesado y que las aguas comenzaban
a bajar. Abrió una ventana y soltó un cuervo al que ordenó
buscar tierra firme. Aunque el cuervo estuvo buscando
durante mucho tiempo, no encontró tierra alguna.

Noé esperó una o dos semanas y envió una paloma en busca de tierra. Pero la paloma tampoco encontró donde posarse. Noé abrió la ventana y la dejó entrar. Al cabo de otra semana, volvió a soltar la paloma. Esta vez el pájaro regresó con una ramita de olivo en el pico. "Las aguas están bajando y las plantas crecen de nuevo", declaró Noé.

Una semana más tarde, Noé soltó de nuevo la paloma, que esta vez ya no volvió. Noé levantó el tejado del arca, miró a su alrededor y vio que el arca descansaba sobre tierra firme.

"Noé, sal del arca con tu familia", dijo Dios. "Todos los animales han de poblar la tierra y multiplicarse. Desde ahora, habrá estaciones del año: un tiempo para la siembra y otro para la cosecha; un invierno y un verano".

Noé abrió la puerta y salió en compañía de su familia. El sol brillaba y la tierra estaba seca. Los animales del arca siguieron sus pasos y enseguida se dispersaron para repoblar el mundo. Noé dio las gracias a Dios por salvar a su familia y a los animales del diluvio. Un arco iris atravesó el cielo y Dios dijo: "Ésta es mi señal. Prometo que nunca volveré a inundar la tierra con otro diluvio universal".

La torre de Babel

Mucho tiempo después de que Noé y su familia abandonaran
el arca, sus hijos se dispersaron por el mundo y fundaron sus
propias familias. Se asentaron en tierras de pastos verdes y
agua abundante para sus ganados, tierras donde podían plantar
sus cultivos. Todos hablaban la misma lengua y colaboraban en
el trabajo.

Un grupo emigró a Oriente y allí se asentó en una gran
llanura. Sus miembros aprendieron a fabricar ladrillos
de barro y paja y a cocerlos al sol. Con estos ladrillos
construyeron casas donde vivir.

Estaban tan orgullosos de sus construcciones que
decidieron levantar una ciudad con una gran torre
en el centro. La torre sería tan alta que llegarían
al cielo y se harían famosos.

Dios los observaba mientras construían los muros y
levantaban su torre, ladrillo a ladrillo. Se dio cuenta
de que se habían vuelto tan vanidosos que pensaban
ser capaces de cualquier cosa. Se creían casi dioses.

Pero antes de que este pueblo acabara la torre, Dios hizo que
la gente que lo componía empezara a hablar en muchos idiomas
diferentes. De pronto, les resultaba difícil entenderse y trabajar
juntos. Confundidos, los habitantes abandonaron la ciudad que
estaba aún por terminar, se dispersaron por toda la tierra y
formaron grandes naciones en sus propios países. La torre
abandonada se llamó Babel, pues sus antiguos habitantes
habían "balbuceado" en distintos idiomas.

Abraham y Sara

Abraham era un rico ganadero que vivía con su mujer, Sara, en la ciudad de El Farán. Se estaban haciendo viejos y, para su gran desconsuelo, no habían tenido hijos.

Un día, Dios dijo a Abraham: "Quiero que dejes esta ciudad y que marches a la tierra de Canaán. Te mostraré donde habrás de vivir y te convertiré en fundador de una gran nación. Te bendeciré y serás famoso".

Abraham era un hombre bueno que obedecía siempre a Dios. Preparó sus cosas para el viaje y abandonó enseguida El Farán con su mujer, Sara, su sobrino, Lot, la mujer de éste, sus muchos criados y sus rebaños de ovejas y manadas de vacas. El viaje fue largo y difícil, pero al fin llegaron a Canaán y levantaron sus tiendas. Vivieron felices durante un tiempo, pero a medida que pasaron los años, el ganado fue creciendo hasta que no hubo suficiente agua ni pastos para alimentarlo. Los pastores de Abraham se peleaban con los de Lot sobre dónde habían de pastar los animales.

Abraham decidió que había llegado la hora de separarse de Lot. Habló con su sobrino y le dijo: "No debemos discutir, debemos separarnos. Elige tú dónde quieres vivir con tu familia y tu ganado". Lot miró la tierra y contestó: "Bajaremos al valle del Jordán, donde hay agua fresca y pastos en abundancia".

"Entonces yo me quedaré en los montes", dijo Abraham, aunque sabía que la hierba era escasa y había poca agua.

Lot y su mujer, sus criados y su ganado se despidieron de Abraham
y de Sara y pusieron rumbo a Oriente para descender hasta el
valle. Mientras Abraham contemplaba su marcha, Dios le prometió
de nuevo que le daría toda la tierra que abarcaban sus ojos y que
haría de su familia una gran nación. Abraham se trasladó a la
llanura del Hebrón y vivió allí con Sara, sus criados y su ganado.

Una tarde calurosa, estando sentado a la sombra, Abraham vio a
tres hombres que atravesaban los montes en dirección a su tienda.
Abraham corrió a su encuentro. "Venid a mi tienda", dijo Abraham
a los extranjeros. "Allí podéis lavaros, descansar y comer con
nosotros". Sara y los criados se apresuraron a preparar la comida.
Ofrecieron a los tres hombres cuencos de leche, queso y pan recién
horneado y asaron un becerro. Después de comer, los hombres
explicaron por qué habían venido. "Traemos un mensaje de Dios",
dijeron. "Tú y Sara tendréis un hijo".

Sara se rió. "Somos demasiado viejos para tener hijos", dijo,
pero al cabo de los meses dio a luz a un hijo varón, al que
llamó Isaac. Abraham y su mujer estaban encantados
de haber tenido, por fin, un hijo. Abraham recordó
entonces que Dios le había dicho que sería el
fundador de una gran nación.

Isaac y Rebeca

Isaac, el hijo de Abraham y Sara, creció hasta convertirse en un hombre alto y fuerte, pero sus padres eran muy anciano. Un día Sara murió y Abraham se quedó lamentando su pérdida.

Abraham decidió que era hora de que su hijo se casara, pero le dijo que su mujer debía pertenecer a su propio pueblo, que vivía muy lejos de Canaán. Abraham era demasiado viejo para semejante viaje y dijo a uno de sus criados: "Busca a mi hermano, Najor, para elegir una mujer para Isaac".

"¿Pero qué hago si ella se niega a dejar su hogar? ¿Llevo a Isaac conmigo?, preguntó el criado. "No", respondió Abraham, "Isaac debe permanecer en la tierra que Dios nos ha prometido. La muchacha debe venir aquí para vivir con nosotros".

El criado partió en compañía de otros criados, diez camellos y regalos para la muchacha y su familia. Cuando por fin alcanzó la ciudad, se detuvo en un pozo junto a las murallas. Caía la tarde y sabía que las mujeres acudirían pronto al pozo en busca de agua fresca. ¿Pero cómo sabría a cuál elegir?

Rogó a Dios: "Por favor, Dios, ayúdame a encontrar una esposa para Isaac. La joven a quien yo diga "Dame de beber" y que me conteste "Bebe, y también daré de beber a tus camellos", ésa será la que elijas para Isaac".

Apenas había acabado de hablar cuando el criado levantó la mirada y vio a una bella muchacha acercarse al pozo. La observó mientras llenaba el cántaro y luego le pidió agua. "Bebe", contestó ella. "Y también voy a dar de beber a tus camellos". Cuando el criado sació su sed, la joven llenó el cántaro varias veces y dio de beber a los camellos en el abrevadero.

El criado se sintió afortunado, pues ésta era la señal que había pedido a Dios. Entregó a la muchacha un anillo y dos brazaletes de oro y le dijo: "Dime quién eres y si habrá sitio en la casa de tu padre para que mis compañeros y yo pasemos allí la noche".

"Soy Rebeca, nieta de Najor", contestó la joven. "En casa de mi padre tenemos sitio para hospedaros y agua y heno para vuestros camellos". El criado se inclinó y dio gracias a Dios por guiarlo directamente a la familia de Abraham.

Rebeca corrió a su casa para contar a su familia el encuentro que había tenido y enseñar los regalos que le habían dado. Labán, su hermano, salió aprisa al encuentro del criado y sus acompañantes y los invitó a casa de su padre.

Después de dar de comer y beber a los camellos, el criado, sus acompañantes y la familia de Rebeca se lavaron y se sentaron a cenar. Pero el criado se negó a comer hasta haber contado el motivo de su visita.

Les contó la historia de Abraham y Sara y de su hijo Isaac, y que tras rogar una señal a Dios en el pozo, éste le había ayudado a encontrar a la muchacha elegida. Luego preguntó: "¿Me permitiréis llevar a Rebeca a Canaán para que se case con Isaac?".

El padre y el hermano de Rebeca, Labán, supieron que era voluntad de Dios y accedieron a que se marchara. El criado dio de nuevo las gracias a Dios y entregó a Rebeca y a su madre las joyas que traía de regalo. Celebraron la futura boda con un gran festín hasta entrada la noche.

Por la mañana, el criado de Abraham quiso partir inmediatamente, pero la familia de Rebeca le pidió que esperase unos días. "Debo marchar: Dios me ha guiado hasta aquí y ahora debo volver con mi amo", dijo el criado. "Preguntemos a Rebeca si está lista para emprender el viaje", acordaron la madre de Rebeca y Labán. Rebeca respondió que estaba preparada.

El criado y sus hombres cargaron los camellos con todo lo necesario para el largo viaje de regreso. Rebeca recibió la bendición de su familia, se despidió y partió a lomos de un camello rumbo a Canaán, la tierra de la familia de Abraham, en compañía de sus criadas.

Tras varios días de viaje, llegaron a la tienda de Abraham. Ya era de noche, pero Isaac no había regresado del campo. Al verlos acercarse, Isaac corrió a su encuentro. Rebeca preguntó quién era aquel hombre y, al conocer su nombre, se bajó del camello. Isaac se enamoró inmediatamente de la bella muchacha que había venido desde tan lejos para casarse con él y apenas dejó contar al criado lo que había sucedido. Los jóvenes celebraron muy pronto su boda.

Los dos hermanos

Isaac y Rebeca eran muy felices, pero no tenían hijos. Por fin, Dios oyó las súplicas de Isaac y, al cabo de unos meses, Rebeca dio a luz a dos gemelos varones, a quienes llamaron Esaú y Jacob. Dios dijo a la madre de los niños que éstos fundarían naciones guerreras y que Jacob, el más joven de los gemelos, reinaría sobre su hermano mayor.

Los niños crecieron hasta convertirse en jóvenes fuertes. Esaú se aficionó a la caza y adoraba recorrer los montes en busca de animales salvajes que luego guisaba. Jacob prefería quedarse cerca de las tiendas, junto a su madre Rebeca, quien sentía predilección por él.

Ya anciano, Isaac perdió la vista. Un día, mandó llamar a Esaú y le dijo: "Hijo mío, soy viejo y no sé hasta cuándo viviré. Sal de caza, mata un venado y prepara el guiso que tanto me gusta. Luego, por ser mi primogénito, te daré mi bendición".

Rebeca oyó las palabras de Isaac y decidió que sería Jacob el que recibiría la bendición de su padre. Cuando Esaú salió de caza, Rebeca pidió a Jacob que le trajera dos cabritos para preparar un guiso. Cuando estuvo listo, ordenó a Jacob que se lo llevara a su padre y que se hiciera pasar por Esaú.

Jacob hizo lo que le dijo su madre. Se puso la ropa de Esaú y llevó el guiso y un poco de vino al viejo y ciego Isaac. "Aquí tienes tu guiso, padre. Lo he preparado como es de tu gusto", dijo Jacob. "¿Eres tú, Esaú?", preguntó Isaac. "Sí", mintió Jacob. Isaac comió lo que le dio el impostor y le dijo: "Ven aquí, hijo mío". Luego rezó a Dios y bendijo a Jacob.

Cuando Esaú regresó con la caza para el guiso, se enteró de que Isaac ya había comido y había bendecido a Jacob. Esaú se enfureció tanto que Rebeca temió por la vida de Jacob y, para salvarlo, convenció a Isaac de que lo enviara a la tierra de su familia en busca de esposa.

Jacob emprendió enseguida el largo viaje al norte, solo y muerto de miedo. Por la noche, al llegar a un valle desierto, se acostó a dormir en el suelo, con una piedra por almohada. Durante la noche, soñó con una gran escalera que ascendía al cielo. Los ángeles subían y bajaban por ella y arriba del todo estaba Dios, quien le dijo: "Os daré la tierra donde descansas a ti y a tus hijos, que se convertirán en una gran nación. Siempre estaré contigo, te protegeré y te traeré de regreso a esta tierra".

Cuando Jacob se despertó al amanecer, estaba muy asustado. Sentía que Dios estaba allí y que se encontraba a las puertas del cielo. Pero recordó las palabras de Dios y prometió siempre serle fiel. Luego, continuó el camino que le llevaría hasta la familia de su madre.

Jacob y Raquel

Jacob caminó durante días y días hasta que alcanzó la tierra donde vivía la familia de su madre. Se detuvo en un pozo para preguntar a unos hombres si conocían a su tío Labán. "Sí", contestaron, "y aquí viene su hija Raquel, que viene a dar de beber a las ovejas".

Jacob se alegró mucho de encontrar a Raquel y, tras contarle quién era, la ayudó a dar de beber a las ovejas. Raquel corrió luego a casa de su padre. Cuando Labán oyó que Jacob estaba en el pozo, salió en su busca y lo llevó a su casa.

Jacob se quedó en casa de su tío y trabajó con él durante un mes. Cuando Labán le preguntó qué quería en pago por sus labores, Jacob contestó: "Trabajaré para ti siete años si dejas que me case con tu hija menor, Raquel". Labán aceptó la propuesta y Jacob estaba tan enamorado de Raquel, que los siete años pasaron volando.

Al cabo de este tiempo, el día de la boda Labán trajo a su hija mayor, Lía, para casarla con Jacob. "En nuestra tierra no es costumbre que la hija menor se case antes que la mayor, de modo que debes aceptar a Lía", le dijo su tío. Lía era una joven muy agradable, pero Jacob amaba a la bella Raquel.

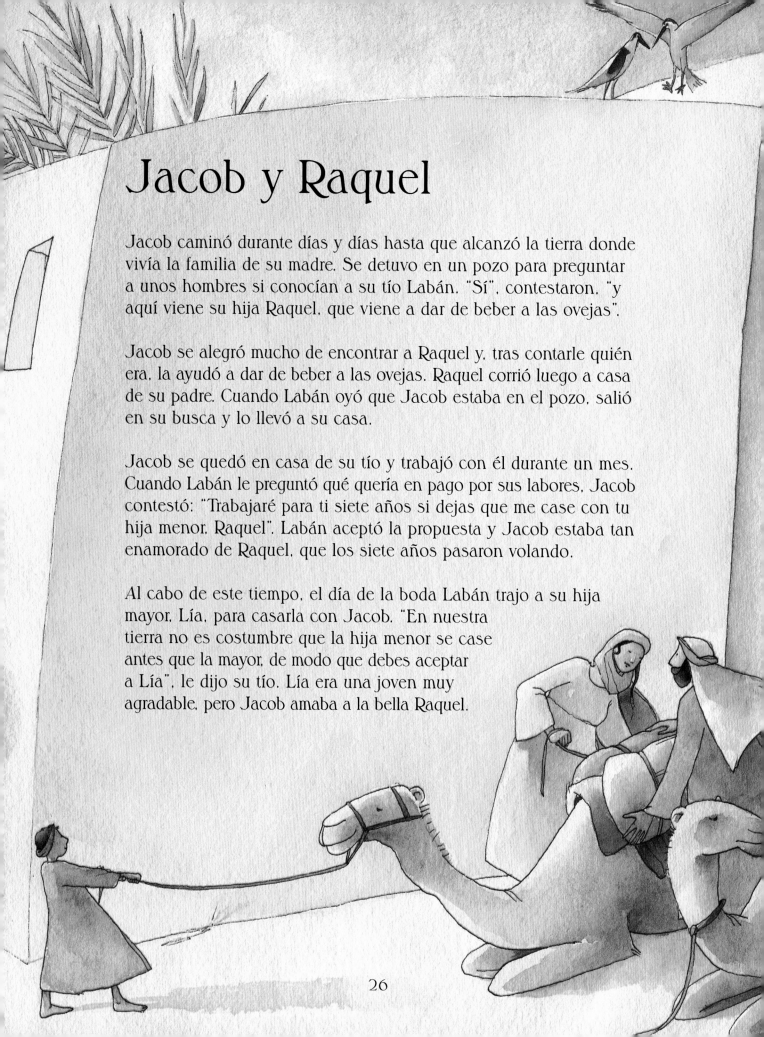

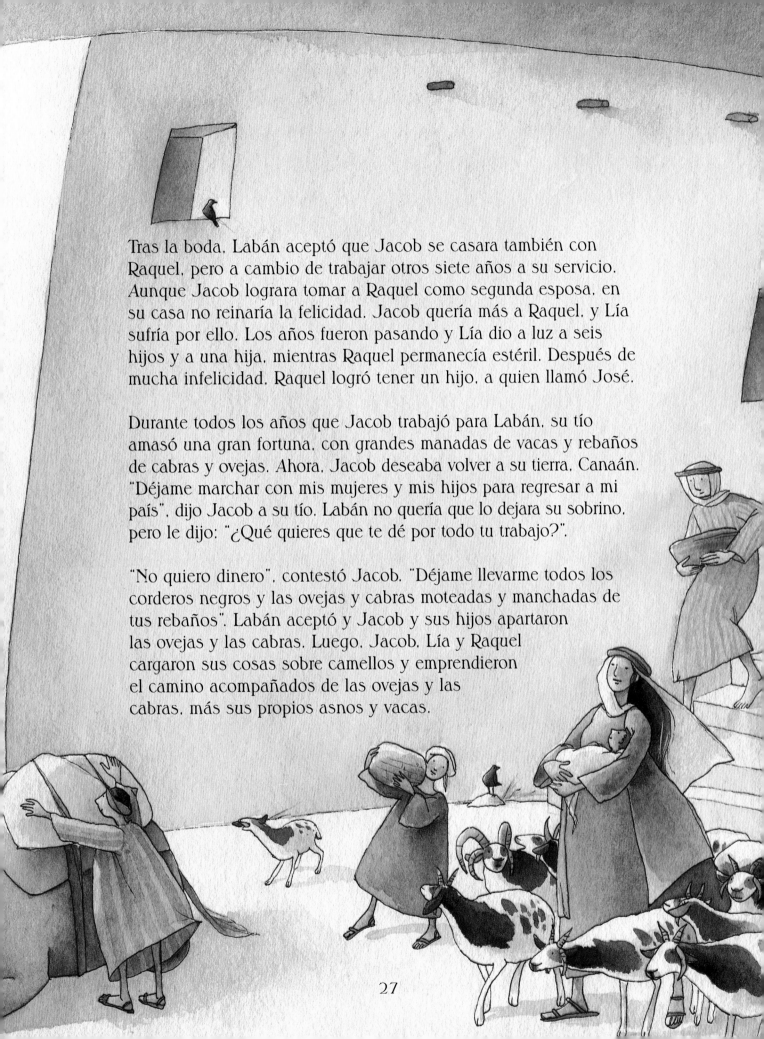

Tras la boda, Labán aceptó que Jacob se casara también con Raquel, pero a cambio de trabajar otros siete años a su servicio. Aunque Jacob lograra tomar a Raquel como segunda esposa, en su casa no reinaría la felicidad. Jacob quería más a Raquel, y Lía sufría por ello. Los años fueron pasando y Lía dio a luz a seis hijos y a una hija, mientras Raquel permanecía estéril. Después de mucha infelicidad, Raquel logró tener un hijo, a quien llamó José.

Durante todos los años que Jacob trabajó para Labán, su tío amasó una gran fortuna, con grandes manadas de vacas y rebaños de cabras y ovejas. Ahora, Jacob deseaba volver a su tierra, Canaán. "Déjame marchar con mis mujeres y mis hijos para regresar a mi país", dijo Jacob a su tío. Labán no quería que lo dejara su sobrino, pero le dijo: "¿Qué quieres que te dé por todo tu trabajo?".

"No quiero dinero", contestó Jacob. "Déjame llevarme todos los corderos negros y las ovejas y cabras moteadas y manchadas de tus rebaños". Labán aceptó y Jacob y sus hijos apartaron las ovejas y las cabras. Luego, Jacob, Lía y Raquel cargaron sus cosas sobre camellos y emprendieron el camino acompañados de las ovejas y las cabras, más sus propios asnos y vacas.

27

Jacob envió un mensaje a su hermano, Esaú, avisándole de que volvía a casa. Cuando oyó que Esaú venía a su encuentro, acompañado de cuatrocientos hombres, Jacob pensó que se proponía atacar y matarlo y rogó a Dios que le prestara su ayuda. Mandó a un criado con muchos camellos, asnos, vacas, ovejas y cabras para ofrecérselos a Esaú. Luego mandó el resto de sus rebaños a la otra orilla del río con sus dos mujeres y sus once hijos, donde pensó que estarían a salvo. Solo y temeroso, aguardó la llegada de su hermano.

Aquella noche, un hombre vino y luchó con Jacob. El combate duró toda la noche, sin que entre ellos mediara palabra alguna. Jacob no conocía a su contrincante, pero sabía que había sido enviado por Dios. Cuando amaneció, el hombre le dijo: "Ahora, déjame marchar". Y Jacob respondió: "No te dejaré partir hasta que me des tu bendición". "¿Cómo te llamas?", preguntó el hombre. "Jacob", respondió el otro. "Desde ahora, te llamarás Israel", dijo el hombre. Luego lo bendijo y desapareció.

Ya de día, Jacob vio que Esaú se acercaba con sus hombres en medio de una nube de polvo. Jacob se arrodilló y esperó a su hermano, pero Esaú acudió corriendo, abrió los brazos y lo besó. "Bienvenido seas, hermano", dijo Esaú. Ambos lloraron de alegría por el reencuentro y todas sus disputas quedaron olvidadas en ese momento.

José y sus hermanos

Jacob se asentó en Canaán con sus dos esposas,
Lía y Raquel, sus once hijos y sus hijas. Raquel
dio a luz a su segundo hijo, al que llamó
Benjamín, pero de todos los varones, Jacob
quería sobre todo a José, pues era el
primogénito de Raquel, su esposa favorita.

Jacob no ocultaba su predilección por José
y regaló al niño una magnífica túnica de
lana en tonos azules, morados y verdes muy
bonitos. Sus hermanos estaban celosos de
José y empezaron a odiarlo. Cuando José les
contó sus sueños, su odio se hizo aún mayor:
"En mis sueños, todos os inclináis ante mí",
dijo a sus hermanos. Incluso al propio Jacob
le molestaba que su hijo fuera tan presuntuoso.

Un día, Jacob envió a José a un valle muy lejano a
comprobar que sus hermanos y los rebaños que cuidaban
estaban bien. Cuando éstos lo vieron llegar, uno de ellos propuso:
"Matémoslo y digamos a nuestro padre que ha sido devorado por
una bestia salvaje".

"No", dijo otro. "No debemos matarlo, pero podríamos meterlo en
aquel foso". Tomaron la túnica de José y tiraron al muchacho al foso.
En ese momento, pasaron unos mercaderes con camellos cargados de
especias que iban de camino a Egipto. Los hermanos sacaron a José
del foso y lo vendieron a los viajeros por veinte monedas de plata.

Luego mancharon la túnica de José con sangre de cabra y se la llevaron a su padre. "Encontramos esta túnica, pero no sabemos de quién es", le dijeron. Jacob la reconoció de inmediato y, al ver la sangre, creyó que su hijo había muerto. El padre quedó abatido por la pena.

Los mercaderes llevaron a José a Egipto y allí lo vendieron como esclavo a Putifar, que era capitán de la guardia del Faraón. José estaba solo en un país extraño, pero sabía que Dios lo acompañaba. Viendo lo duro que trabajaba, Putifar lo puso al frente de su casa. Todo marchó bien durante un tiempo, hasta que la esposa de Putifar se enamoró del joven y apuesto esclavo. José, fiel a su amo, se negó a corresponder su amor, y ella empezó a odiarlo. Entre otras mentiras, le dijo a Putifar que José la había atacado.

El egipcio montó en cólera y envió a su esclavo a la cárcel del Faraón. Muy pronto, José se ganó la confianza del jefe de la prisión, quien lo puso al frente de los demás reclusos, entre los que había algunos criados del mismo Faraón. Uno le había servido el vino y otro había sido panadero de palacio. Cuando tenían sueños extraños, se los contaban a José y éste les explicaba su significado. Unos días más tarde, tal y como había anunciado José, el Faraón ejecutó al panadero y volvió a admitir al criado del vino en la corte.

José llevaba dos años en la cárcel cuando el Faraón tuvo un sueño muy extraño. Aunque preguntó a los sabios por su significado, ninguno supo responderle. El criado se acordó entonces de José. El Faraón mandó llamarlo y le contó su sueño.

José escuchó atentamente y le dijo: "Tu sueño significa que durante siete años las cosechas serán buenas y habrá abundancia para todos; luego, seguirán siete años de miseria durante los cuales incluso habrá gente que muera de hambre. Si sois un hombre sabio, colocaréis a alguien al frente del país para que almacene parte del grano cosechado durante los años de abundancia, de ese modo la gente no morirá de hambre durante los años de escasez".

El Faraón quedó tan agradecido que regaló a José vestidos elegantes, un anillo y un collar de oro y una carroza. Nombró a José gobernador y lo puso al frente de todos los almacenes de Egipto. Durante los siete años de cosechas abundantes, José mandó que el grano sobrante se guardara en silos seguros. José tenía suficiente grano para alimentar a los egipcios y demás pueblos durante los siete años de escasez.

Las cosechas fueron malas en todas partes y en la lejana Canaán, el padre de José, Jacob, y su familia empezaban a notar la escasez de alimento. Jacob se quedó en casa con su hijo menor, Benjamín, y envió a los otros diez a Egipto a comprar grano para hacer pan. "He oído que tienen muchos silos donde guardan el grano", les dijo.

Cuando los hermanos llegaron a Egipto,
fueron a ver al gobernador y pidieron
comprar grano. Se arrodillaron ante
José, sin darse cuenta de que aquel
hombre vestido con finas ropas
egipcias se trataba de su hermano.
José los reconoció de inmediato
y habló severamente: "Vosotros
sois espías". Los otros protestaron
su inocencia y le explicaron que
eran diez hermanos honrados
que habían dejado en Canaán
a su padre y a un hermano
y que tenían otro ya muerto.
Afirmaron que sólo habían
venido a comprar grano.

José envió a sus diez hermanos a la cárcel y no los soltó hasta pasados tres días. "Marchad ahora, pero debéis dejar a vuestro hermano Simeón en prisión y regresar con Benjamín". Los hermanos cargaron sus asnos con sacos de grano y comenzaron el largo camino a su tierra. No sabían que José había metido en los sacos todo el dinero que habían pagado por el grano.

Cuando los nueve hermanos se detuvieron para comer y descansar, uno de ellos encontró el dinero en un saco y se asustaron mucho. "Dios nos castiga por haber vendido a José", dijeron. Regresaron aprisa junto a su padre, Jacob, y le contaron todo lo sucedido. Cuando Jacob oyó que el gobernador había retenido a Simeón y que pedía que volvieran con Benjamín, se entristeció mucho. "José ha muerto, Simeón está preso y ahora os llevaréis a mi hijo menor, Benjamín. Si algo le sucediera, moriría de pena", dijo el padre.

Cuando al cabo de un tiempo el grano se agotó, Jacob envió de nuevo a sus hijos a Egipto a comprar alimento, pero esta vez Benjamín los acompañó. Nuevamente, se arrodillaron ante el gobernador y pidieron comprar grano. Aún no se habían dado cuenta de que era su hermano. José mandó a sus criados ofrecer un banquete a sus hermanos y a Simeón y se aseguró de que Benjamín recibiera comida en abundancia.

A la mañana siguiente, José ordenó que cargaran los asnos de sus hermanos con sacos de grano y volvió a meter en ellos el dinero que habían pagado. También escondió una de sus copas de plata en el saco de Benjamín. Los once hermanos emprendieron el camino de regreso, pero al poco fueron detenidos por los guardias de José, quienes, ante el terror de los viajeros, encontraron la copa de plata entre las cosas de Benjamín.

Los guardias los llevaron de regreso a la casa del gobernador, donde los esperaba José. Se arrodillaron y rogaron clemencia. "Todos podéis marcharos, menos Benjamín, pues la copa se encontraba en su saco. Se quedará aquí y me servirá", dijo José.

"Por favor, dejad que volvamos con Benjamín", dijo Judá, uno de los hermanos. "Nuestro padre ya perdió un hijo. Si también pierde a Benjamín, morirá de pena". José vio que sus hermanos habían cambiado y que se arrepentían de lo que le habían hecho.

"Soy José, vuestro hermano, a quien vendisteis como esclavo", exclamó. "Dios me envió a Egipto, donde me he convertido en gobernador del Faraón para salvaros del hambre. Dios prometió a Abraham que la nación que fundara estaría a salvo. Regresad hasta mi padre y pedidle que venga a asentarse en Egipto. Traed a todas vuestras mujeres, a vuestros hijos y a vuestro ganado. Quedan otros cinco años de malas cosechas y hambre, pero aquí tenemos suficiente". Luego, José abrazó a Benjamín y a sus otros hermanos y lloró de alegría.

José dio a sus hermanos alimento para el viaje hasta Canaán, más vestidos y regalos para su padre. Cuando Jacob oyó que José estaba vivo, se llenó de felicidad y accedió de inmediato a marchar a Egipto. Allí se asentó junto a sus once hijos y sus familias. El hombre de Dios que había luchado en el desierto con Jacob hacía mucho tiempo le dijo que su nombre sería desde entonces Israel. Por eso, en Egipto, a la familia de Jacob los llamaron los hijos de Israel.

Moisés entre los juncos

Muchos años más tarde, los descendientes de Jacob, a quienes llamaban hebreos, se multiplicaron y llegaron a formar una nación grande y poderosa. Aunque José vivió hasta una edad muy avanzada, tras su muerte, un faraón cruel subió al trono de Egipto. Temeroso de que los hebreos se unieran a los enemigos de Egipto para arrebatarle el país, los hizo esclavos. Los obligó a arar los campos y a construir grandes ciudades y templos. Pasaban el día fabricando ladrillos de barro y paja que luego cocían al sol. Los guardias los vigilaban y los castigaban duramente en cuanto procuraban descansar.

Aunque los había hecho esclavos, el Faraón seguía temiendo a los hebreos y ordenó matar a todos los hijos varones que les nacieran.

Una mujer hebrea logró ocultar a su pequeño, Moisés, durante tres meses. Pero, al ir creciendo el niño, su madre empezó a temer que los soldados oyeran su llanto y vinieran a matarlo. Se dio cuenta de que no podía quedárselo. Un día llevó a Moisés a orillas del Nilo, tejió allí una cesta con cañas y la revistió de arcilla y brea para que no se hundiera. Cuando la terminó, metió al niño dentro mientras dormía, la puso entre los juncos y la empujó para que flotara río abajo.

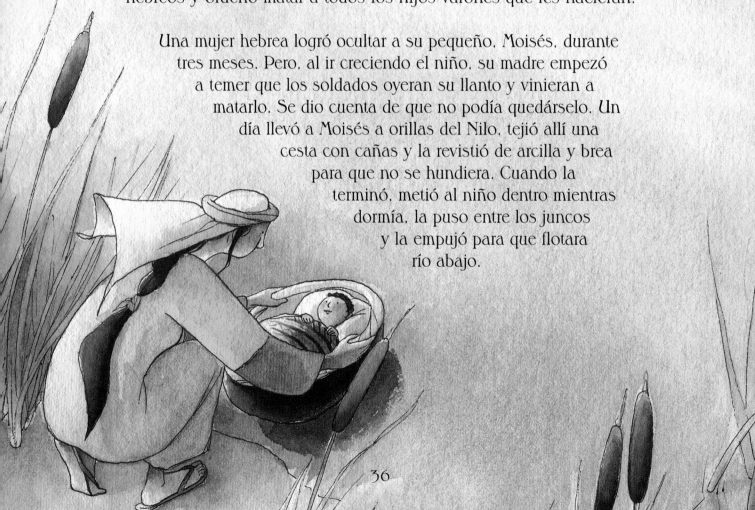

36

Su hijita, Miriam, vio lo
que ocurría escondida entre los
juncos y siguió la cesta río abajo
caminando por la orilla. Mientras tanto,
la hija del Faraón, que había ido a bañarse al río
acompañada de sus doncellas, vio la cesta flotando
y mandó que se la acercaran.

Cuando vio al niño durmiendo, dijo: "Debe ser un niño hebreo".
En ese momento, Moisés se despertó y empezó a llorar. La
princesa se conmovió y decidió quedárselo.

María, que seguía oculta entre los juncos, oyó lo que dijo la hija
del Faraón y corrió a arrodillarse ante ella. "¿Quieres que vaya
a buscarte una nodriza hebrea para que te críe este niño?",
preguntó. "Vete y tráeme una", contestó la princesa.

La hermana de Moisés fue a buscar a su madre y le contó lo
ocurrido. Ambas corrieron hasta la princesa, quien dijo a la mujer:
"Toma a este niño y críamelo; yo te lo pagaré".

La mujer se llenó de alegría al saber que podía llevarse a su hijo
y que ya no corría peligro. Moisés vivió junto a su familia hasta
que creció lo suficiente para regresar con la princesa. Entonces,
su madre lo llevó a palacio. La hija del Faraón dijo: "A partir
de ahora será mi hijo", y crió a Moisés como si fuera un
príncipe egipcio.

Moisés salva a su pueblo

Moisés se crió en el palacio del Faraón, donde lo trataron como a un príncipe egipcio, pero él jamás olvidó su origen hebreo. Le daba mucha pena y rabia ver el modo en que los egipcios maltrataban a su pueblo.

Un día, Moisés vio a un capataz dando latigazos a un hebreo. Miró a su alrededor y, viendo que no había nadie, mató al egipcio y lo enterró en la arena. Sin embargo, alguien lo había visto. Cuando el Faraón supo lo ocurrido, lo condenó a muerte.

Moisés se enteró de que corría peligro y huyó al desierto de Madián, donde vivió un tiempo trabajando de pastor. Un día, vio un matorral que parecía en llamas pero no se consumía. Intrigado, Moisés se acercó para ver de qué se trataba.

Entonces oyó una voz: "No te acerques más, porque el lugar que pisas es sagrado". Moisés se asustó, pero la voz siguió diciendo: "Soy tu Dios, el Dios de Abraham, Isaac y Jacob. He visto la crueldad con que han tratado a los hebreos en Egipto. Acude al Faraón y dile que los libere. Ve con tu hermano Aarón. El Faraón no querrá dejarles marchar, pero yo le obligaré. Entonces todo el mundo sabrá que yo soy Dios. Luego guiarás a los hebreos a una tierra fértil donde serán libres y vivirán en la abundancia".

Moisés no quería regresar a Egipto, pero sabía que debía obedecer a Dios. Por eso viajó junto a su hermano hasta el Faraón y Aarón dijo a éste: "El Señor, Dios de Israel, te ordena que dejes marchar a los hebreos".

"No conozco a tu Dios ni dejaré que se vayan los hebreos", contestó el Faraón. Su furia era tan grande que ordenó que los pusieran a trabajar aún más.

Moisés no sabía qué hacer y rezó a Dios para le prestase su ayuda. Dios le dijo: "Preséntate de nuevo ante el Faraón y dile que si no deja ir al pueblo hebreo, haré que ocurran grandes desgracias en Egipto".

Moisés y Aarón hicieron lo que Dios les ordenó, pero el Faraón no escuchó sus advertencias y se negó a dejar marchar a los hebreos. Entonces comenzaron las desgracias: primero, el Nilo se tiñó de rojo y empezó a oler mal, los peces murieron y nadie pudo beber de sus aguas; al cabo de una semana, salieron miles de ranas del río, los arroyos y los estanques y se metieron por los rincones de las casas de los egipcios; luego, grandes nubes de mosquitos y tábanos inundaron el palacio del Faraón y todas las casas, menos las de los hebreos. Sin embargo, el Faraón seguía sin dejar que se marcharan.

A continuación, empezó a morir el ganado, excepto en Gosen, donde vivían los hebreos, y todos los egipcios enfermaron con unas úlceras horribles que les cubrían el cuerpo. Después, vinieron las tormentas y el granizo destrozó las cosechas, excepto en Gosen. Luego, grandes nubes de langostas devoraron todas las plantas que quedaban y se sucedieron tres días de oscuridad total, pero el Faraón seguía sin dejar marchar a los hebreos.

Entonces sucedió la peor de todas las desgracias. Todos los primogénitos de las familias egipcias murieron esa misma noche, desde el heredero del Faraón hasta el hijo mayor del más humilde esclavo. Los hebreos seguían a salvo en Gosen porque Dios les había dicho lo que tenían que hacer. Ese mismo atardecer, todas las familias hebreas habían matado un cordero y habían marcado con su sangre el dintel de la puerta de sus casas. Luego habían asado el cordero y se lo habían comido con hierbas y pan ácimo, sin levadura. Dios dijo a los hebreos que siempre habrían de recordar la noche en que la muerte pasó de largo, llamada Pascua, y que habrían de celebrarla todos los años.

El Faraón mandó llamar a Moisés y a Aarón y les dijo: "Salid y llevaos a vuestro pueblo, más todos vuestros rebaños y manadas". Los egipcios, que temían ahora a los hebreos, les dieron oro, plata y finos vestidos y los apremiaron en su marcha.

Al día siguiente, todos los hebreos abandonaron Egipto. Dios los
condujo hasta el mar Rojo con una columna de humo que los guiaba
de día y una columna de fuego que los guiaba de noche.

Sin embargo, el Faraón cambió de idea y envió a su ejército en
carros tras los hebreos. Cuando éstos los vieron acercarse, sintieron
verdadero terror. Delante tenían el mar y a su espalda, a los
soldados del Faraón.

Moisés les dijo que no había nada que temer, porque Dios los
ayudaría. Extendió la mano sobre el mar y un fuerte viento del
este, enviado por Dios, separó las aguas y abrió un camino para
que lo atravesaran aprisa. Cuando los soldados egipcios intentaron
seguirlos, las aguas volvieron a su cauce y todos se ahogaron.

Los hebreos fueron, por fin, libres. María, la hermana de Moisés,
tocó su pandereta y las mujeres bailaron de alegría. Luego cantaron
a Dios para darle gracias por haberlos salvado de los soldados
egipcios y haberlos liberado de la esclavitud. Ahora marcharían a
la tierra que Dios les había prometido.

Moisés en el desierto

Moisés guió a los hebreos hacia su tierra a través del desierto. Aunque se detenían en pozos para beber agua, al aumentar su hambre empezaron a quejarse y no tardaron en olvidar lo dura que había sido su vida de esclavos en Egipto. "¿Os acordáis de los jugosos melones que teníamos?", dijo uno. "Y las cebollas y los pepinos", dijo otro. "Siempre teníamos pan y carne", dijo un tercero. "Era mejor vivir como esclavos en Egipto que morir de hambre en el desierto", dijeron todos.

Dios oyó las quejas del pueblo y habló a Moisés: "Diles que no les dejaré morir de hambre; les daré carne todas las tardes y pan todas las mañanas. Habrá suficiente para cada día, pero el viernes, el sexto día, habrá suficiente para dos días. Así el sábado, el séptimo día, mi día sagrado, el pueblo no tendrá que recoger su alimento, sino que descansará".

Esa misma tarde cayeron bandadas de codornices sobre las tiendas de los hebreos, quienes las atraparon sin dificultad. Las asaron al fuego y comieron en abundancia. Por la mañana,

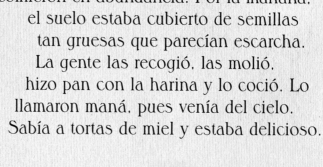

el suelo estaba cubierto de semillas tan gruesas que parecían escarcha. La gente las recogió, las molió, hizo pan con la harina y lo coció. Lo llamaron maná, pues venía del cielo. Sabía a tortas de miel y estaba delicioso.

Todos los días, los hebreos comían
codornices asadas por la noche y pan de maná
por la mañana. El sexto día hacían lo que Dios había ordenado:
recogían comida para dos días y así descansaban el séptimo.

Ahora el pueblo tenía suficiente comida, pero el agua escaseaba en
el desierto y comenzaron de nuevo las quejas. "¿Nos has traído al
desierto para que muramos de sed junto a nuestros hijos y nuestro
ganado?", preguntaron a Moisés.

Moisés pidió ayuda a Dios: "¿Qué puedo hacer? Poco más y esta
gente me mata", dijo.

"Toma tu bastón y camina al frente de tu pueblo. Luego golpea
una roca", dijo Dios a Moisés. Moisés hizo lo que Dios le había
ordenado y, cuando tocó la roca, de ella salió un manantial de
agua. Ya había agua fresca para todos.

Dios cuidó de los hebreos en el desierto y les dio alimento y agua
a diario. Guardó las promesas que les hizo para que aprendieran
a confiar en su palabra.

Moisés y las Leyes de Dios

Moisés sacó a los hebreos de Egipto a través del desierto, como
Dios le había ordenado. Durante meses, caminaron por tierras
secas y ardientes, pero Dios siempre les envió alimento y agua.
Finalmente, llegaron a los pies del monte Sinaí y allí acamparon.
Moisés subió a la montaña para alabar a Dios.

Dios le dijo que el pueblo debía estar preparado para recibirlo,
que en tres días bajaría de la montaña oculto en una nube y que
hablaría. Todos lavaron su ropa y limpiaron el campamento para
la visita de Dios.

Al amanecer del tercer día, el cielo se oscureció y hubo truenos
y relámpagos. El monte se envolvió en nubes, su cima empezó a
escupir humo y fuego y la tierra tembló. Oyeron el estruendo de
una trompeta y todos sintieron mucho miedo al saber que Dios
estaba cerca.

Moisés y su hermano, Aarón, subieron al monte, donde Dios les
habló entre el humo y el fuego y les dio diez leyes que su pueblo
debía obedecer.

Dios dijo: "Soy vuestro Dios; no tendréis más dioses que yo.
No construiréis ídolos ni los adoraréis.
Cuando pronunciéis mi nombre, lo haréis con respeto.
Trabajaréis durante seis días y guardaréis el séptimo como día
sagrado para el descanso.
Trataréis a vuestros padres con respeto.
No mataréis a ningún ser humano.
Los esposos se guardarán fidelidad.
No robaréis.
No mentiréis.
No envidiaréis las cosas de los demás".

Moisés bajó de la montaña y transmitió al pueblo las leyes
que Dios les había dado. Todos acordaron respetarlas
y aceptaron ser el pueblo elegido de Dios. Dios
le había dicho a Moisés que escribiría las
leyes en dos tablas de piedra y Moisés
regresó al monte a recogerlas.

Tardaba tanto Moisés que la gente empezó a impacientarse y acabó por enfadarse. Dijeron a Aarón: "No sabemos qué le ha pasado a Moisés, el que nos sacó de Egipto. Hagamos un nuevo dios que nos guíe". Aarón recogió los pendientes de oro de la gente, los fundió y fabricó un becerro de oro, parecido a un dios egipcio. Lo colocó en un altar y proclamó que habría una fiesta al día siguiente. Llegado ese día, la gente celebró la fiesta, bailó y cantó alrededor del altar entre gran alboroto. "Éste es nuestro dios que nos ha traído de Egipto", decían.

Dios vio lo pronto que su pueblo había olvidado sus leyes y se enfureció. Cuando Moisés bajó de la montaña con las dos tablas donde estaban escritas las leyes y vio el becerro de oro, también él se enfadó. Tiró las tablas al suelo y se partieron. Rompió también el becerro de oro y el altar. "Habéis hecho algo terrible", les dijo.

Moisés rogó a Dios que perdonara a su pueblo por el mal que había hecho. Subió de nuevo a la montaña y Dios le entregó dos tablas nuevas con las diez leyes escritas en ellas. Esta vez, cuando Moisés bajó de la montaña, la gente lo esperaba y escuchó atentamente el significado de las leyes de Dios. Todos prometieron respetarlas y así quedó sellado el pacto, o alianza, entre Dios y su pueblo. Moisés siguió guiando al pueblo por el desierto, pero pasarían muchos años antes de que llegaran a Canaán, la tierra prometida por Dios.

La tierra prometida

Moisés guió al pueblo desde el monte Sinaí y a través del desierto en dirección a Canaán, la tierra que Dios les había prometido. Estando acampados muy cerca ya de su destino, Dios dijo a Moisés que enviara doce hombres para explorar la tierra, uno de cada una de las doce tribus descendientes de los doce hijos de Jacob. "Averiguad cómo es la tierra y qué gente la habita", les encomendó Moisés.

Los hombres partieron y regresaron al cabo de cuarenta días con grandes cantidades de uvas, higos y granadas. "La tierra es buena, abundante en leche y miel, pero el pueblo que la habita vive en grandes ciudades amuralladas", contaron los exploradores. "Son gigantes y nos aplastarían como si fuéramos saltamontes".

Cuando oyeron este relato, los hebreos se llenaron de desesperación. "Ojalá no hubiéramos abandonado Egipto. Hubiera sido mejor morir allí que en este desierto", se lamentaban. Josué y Caleb intentaron animarlos: "Canaán es una tierra buena y Dios nos la ha prometido. No tengáis miedo, pues Dios nos acompañará y nos la dará". Pero nadie les hizo caso.

Entonces, Dios habló a su pueblo y le dijo: "Aún no habéis aprendido a confiar en mí y habéis olvidado todo lo que he hecho por vosotros. Ya que no creéis en mí, os condeno a vagar durante cuarenta años por el desierto, a todos menos a Josué y a Caleb. Puesto que ellos confían en mí, irán y tomarán la tierra que os prometí".

El pueblo se quedó muy apenado
al oír que todos morirían en el
desierto, pero seguía sin confiar en
Dios. En contra de las órdenes divinas,
unos cuantos hombres fueron a luchar
contra el pueblo de Canaán para conquistar
la tierra, pero pronto fueron derrotados.

Los años fueron pasando y la gente se empezó a cansar de vivir en
el desierto. Se quejaban de sus jefes y se rebelaron contra Moisés y
Aarón. Tras la muerte de Aarón, Moisés se dio cuenta de que tampoco
a él le quedaba mucho tiempo y le dijo a Josué: "Me hago viejo y
nunca llegaré a Canaán. Tú guiarás al pueblo ahora, pero no tengas
miedo porque Dios te acompañará".

Luego Moisés habló al pueblo y le recordó que debía obedecer las leyes
de Dios. Después de darle su bendición, Moisés siguió a Dios al monte
Nebo, a la cima del Pisga. Desde allí Dios le mostró la tierra prometida,
que se extendía desde las ciudades de Galaad y Dan y la tierra de Judá
hasta la ciudad sureña de Jericó, y por el oeste hasta el mar.

Josué y la ciudad de Jericó

Moisés murió a la vista de la tierra prometida y los hebreos lloraron su pérdida durante muchos días. Josué pasó a ocupar el puesto de Moisés, como éste había dispuesto. Por fin había llegado la hora de conquistar Canaán. Viajaron por el desierto hasta el Jordán y acamparon junto al río. En la otra orilla, se encontraba la tierra prometida.

El río era demasiado profundo y ancho para vadearlo, pero Dios les explicó cómo cruzarlo. Los sacerdotes fueron delante con el arca de la alianza, un cajón donde estaban guardadas las tablas de piedra con las leyes de Dios.

En el preciso momento en que los sacerdotes pusieron sus pies en el río, el agua dejó de correr y el cauce se secó. En cuanto los sacerdotes y el pueblo pasaron a la otra orilla, el agua bajó de nuevo en un gran torrente.

El pueblo acampó a las afueras de la ciudad de Jericó. Era la víspera de la Pascua y, al día siguiente, el pueblo coció pan con el trigo que habían recolectado en Canaán. Aquella fue la primera vez que comieron el fruto de la tierra prometida. Ya no hubo más maná por las mañanas, pues por fin habían salido del desierto.

Josué miró las grandes
murallas de piedra de Jericó y
sus enormes puertas de madera cerradas.
Aunque su ejército era numeroso, no creía que pudieran
entrar en la ciudad y tomarla. Entonces, Dios le habló.

"La ciudad será vuestra, así como todo cuanto hay en ella. Esto es
lo que debéis hacer: Durante los próximos seis días deberás marchar
con tus soldados en silencio alrededor de la ciudad una vez al día.
Siete sacerdotes caminarán detrás con el arca de la alianza y
trompetas. El séptimo día, darás siete vueltas a la ciudad en
compañía de los soldados y los sacerdotes. Luego, los sacerdotes
tocarán sus trompetas y todos gritaréis".

Josué dio las órdenes al pueblo e hicieron exactamente lo que Dios
había mandado. Cuando los sacerdotes tocaron las trompetas, Josué
dijo: "Gritad, pues Dios os ha entregado la ciudad". El pueblo gritó
y las magníficas murallas de la ciudad se derrumbaron.

Josué entró con su ejército en Jericó, mataron a sus habitantes
y saquearon todos los tesoros que encontraron. Luego prendieron
fuego a la ciudad. Ésta fue la primera victoria de los hebreos en
Canaán y Josué se hizo pronto famoso. Los hebreos se asentaron
en la tierra prometida, donde se les llamó también israelitas, y
vivieron prósperamente durante muchos años.

Sansón, un hombre poderoso

Una vez que los israelitas se asentaron en Canaán y fueron pasando los años, comenzaron a olvidar lo que habían prometido a Dios. Aunque rezaban a los dioses de los pueblos que vivían cerca, Dios no los olvidaba. Los enemigos acecharon sus fronteras y tuvieron que luchar para proteger su tierra. Una nación implacable, la de los filisteos, logró someterlos y los israelitas vivieron bajo su poder durante cuarenta años.

Una día, Dios envió un ángel al israelita Manoj. Aunque llevaba casado muchos años, su mujer no había tenido hijos. El ángel dijo a Manoj y a su mujer: "Tendréis un hijo que salvará a los israelitas de los filisteos". Aunque sorprendidos, se alegraron mucho ante la idea de tener un hijo.

Cuando el niño nació, lo llamaron Sansón y no le cortaron nunca el pelo en señal de que pertenecía a Dios de un modo especial. Sansón creció hasta convertirse en un hombre enorme con una fuerza de roble. Un día, cuando caminaba por una viña, le salió al paso un león rugiendo y Sansón lo mató con sus propias manos.

Sansón sabía que Dios le había dado su fuerza para que cumpliera una misión, la de luchar contra los filisteos, y eso hizo siempre que pudo. Los mató en batallas y prendió fuego a sus cosechas de trigo, sus viñedos y sus olivares. Pronto se hizo famoso y los filisteos intentaron atraparlo una y otra vez.

Un día, estando Sansón en Gaza, los filisteos cerraron las puertas de la ciudad. Pensaban que lo habían atrapado y que no tendría modo de escapar. Sin embargo, cuando llegó la hora de marcharse, Sansón se dirigió a las puertas, las arrancó, se las echó a los hombros y las llevó hasta la cima de un monte. Los filisteos montaron en cólera y tomaron la determinación de encontrar una forma de acabar con Sansón.

Entonces, Sansón se enamoró de una joven y bella muchacha filistea llamada Dalila.

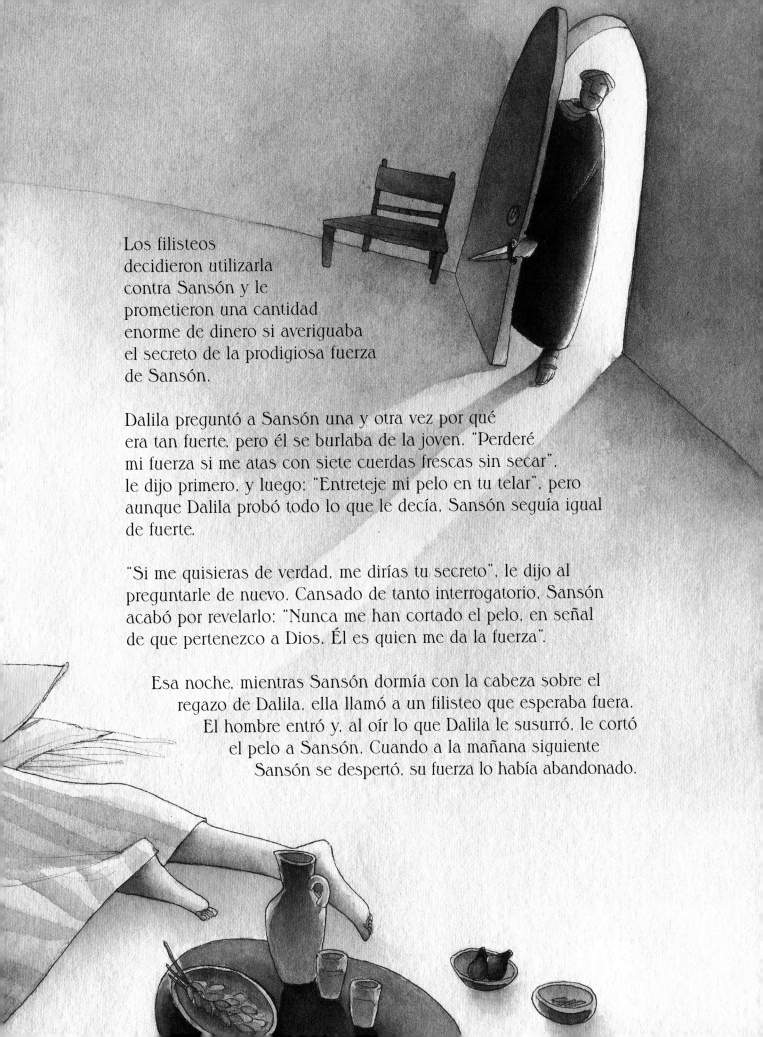

Los filisteos
decidieron utilizarla
contra Sansón y le
prometieron una cantidad
enorme de dinero si averiguaba
el secreto de la prodigiosa fuerza
de Sansón.

Dalila preguntó a Sansón una y otra vez por qué
era tan fuerte, pero él se burlaba de la joven. "Perderé
mi fuerza si me atas con siete cuerdas frescas sin secar",
le dijo primero, y luego: "Entreteje mi pelo en tu telar", pero
aunque Dalila probó todo lo que le decía, Sansón seguía igual
de fuerte.

"Si me quisieras de verdad, me dirías tu secreto", le dijo al
preguntarle de nuevo. Cansado de tanto interrogatorio, Sansón
acabó por revelarlo: "Nunca me han cortado el pelo, en señal
de que pertenezco a Dios. Él es quien me da la fuerza".

Esa noche, mientras Sansón dormía con la cabeza sobre el
regazo de Dalila, ella llamó a un filisteo que esperaba fuera.
El hombre entró y, al oír lo que Dalila le susurró, le cortó
el pelo a Sansón. Cuando a la mañana siguiente
Sansón se despertó, su fuerza lo había abandonado.

Entonces, los filisteos lo apresaron, le sacaron los ojos, lo ataron con cadenas y lo arrastraron hasta la ciudad de Gaza. Allí lo metieron en la cárcel y lo pusieron a trabajar moliendo el trigo. Sin embargo, los filisteos no se dieron cuenta de que el pelo le empezaba a crecer de nuevo.

Al cabo de muchos meses, los filisteos celebraron una gran fiesta en el templo dedicado a su dios, Dagón, que según ellos les había ayudado a capturar a Sansón. Todos cantaban y bailaban en honor a Dagón y la gente empezó a pedir que trajeran a Sansón: "Traedlo para que nos divierta", decían.

Llevaron a Sansón al templo y lo encadenaron a dos grandes columnas que sostenían el techo del templo, donde una multitud de hombres y mujeres y todos los gobernantes de los filisteos podían verlo y reírse de este hombre indefenso.

Aunque ciego, Sansón se dio cuenta de que estaba entre las columnas y, en silencio, pidió a Dios: "Oh, Señor, devuélveme la fuerza que tuve y deja que me vengue de los filisteos que me han cegado. Deja que muera con ellos".

Sansón extendió los brazos y empujó las columnas con todas sus fuerzas. El templo se derrumbó sobre los miles de filisteos allí presentes. Con su muerte, Sansón hizo una última demostración de su fuerza prodigiosa y liberó a los israelitas de sus odiados gobernantes, los filisteos.

Rut y Noemí

Elimélec vivía en el pueblo de Belén, en Judá, con su mujer, Noemí, y sus dos hijos. Las cosechas habían sido malas y el pueblo empezó a padecer hambre. Para salvar a su familia, Elimélec se los llevó en un largo viaje a través del río Jordán hacia el país de Moab, donde había abundancia de alimento.

Los dos hijos de Elimélec se criaron en esta tierra y se casaron con dos muchachas, llamadas Orfá y Rut. Pero, cuando Elimélec murió primero y luego lo siguieron sus hijos, Noemí se quedó sola con sus nueras. Al oír que las cosechas habían sido buenas en Judá y que había alimento en abundancia, Noemí decidió regresar a Belén con gente".

"Deja que te acompañemos", le suplicaron Orfá y Rut, y las tres dejaron sus casas y partieron rumbo a Judá. Pero aún llevaban poco camino cuando Noemí les dijo: "Debéis quedaros en vuestra tierra y encontrar nuevos maridos". Las muchachas no querían que Noemí viajara sola, pero ante su insistencia, Orfá accedió a quedarse en Moab y se despidió de su suegra. Rut suplicó a Noemí: "No me hagas marchar, por favor. Iré donde tú vayas, tu pueblo será mi pueblo, y tu Dios será el mío". De modo que Orfá regresó a su casa y Noemí y Rut reanudaron el camino a Belén.

Cuando llegaron a Belén empezaba la siega de la cebada. Como Noemí y Rut eran muy pobres, para reunir alimento, Rut iba hasta los campos por las mañanas, recogía las espigas que los segadores dejaban a su paso y luego las molía para hacer pan. No sabía que estos campos pertenecían a un pariente rico de Noemí llamado Booz.

Booz se fijó en Noemí y preguntó: "¿Quién es esa mujer?". "Ha venido de Moab con Noemí", respondieron. Cuando Booz se enteró de lo buena que había sido con su suegra, le dijo que en sus campos estaría a salvo y que bebiera el agua que quisiera de los cántaros de sus segadores.

Esa misma tarde, Rut contó a Noemí lo que Booz le había dicho. Noemí se alegró, pues sabía que Booz era un hombre bueno y generoso. También sabía que dormía cerca de sus campos para guardar la cebada de los ladrones. "Cuando Booz haya cenado y se duerma, acércate en silencio y échate a sus pies", le dijo a Rut.

Rut hizo lo que le dijo su suegra. Cuando se acercó, Booz oyó un ruido y preguntó: ¿Quién eres?". "Soy Rut, he venido para que me protejas", contestó la muchacha. "Hay otro pariente más próximo que debería protegerte y casarse contigo. Hablaré con él mañana", le dijo Booz.

Booz habló con el otro pariente, pero como éste ya tenía esposa y familia, no quiso casarse con Rut. Así pues, Booz se casó con Rut, con quien tuvo un hijo, y Noemí se llenó de felicidad ya que Dios le había dado un nieto.

David y Goliat

El nieto de Rut, David, trabajaba con su padre cuidando las ovejas.
Aunque no era más que un niño, David era fuerte y valiente y luchó
contra osos e incluso leones para proteger el rebaño. Todos los días
subía a los montes con las ovejas, donde siempre encontraba los
mejores pastos. Mientras las vigilaba, solía tocar bonitas melodías
con su arpa y afinaba su puntería tirando piedras con una honda.

Un día, el padre de David le pidió que llevara comida a tres de sus
hermanos, que servían de soldados en el ejército de Saúl. Saúl era
Rey de Israel, la tierra de los israelitas, quienes llevaban muchos
años luchando contra los filisteos. El ejército del rey Saúl había
acampado a un lado del valle, y al otro lado se encontraban los
soldados filisteos. Los dos ejércitos se vigilaban mutuamente, sin
atreverse a atacar.

Entre los filisteos, había un soldado de tamaño descomunal
llamado Goliat. Su fuerza era formidable y llevaba una coraza,
una lanza y un escudo enormes. Todos los días, gritaba al rey
Saúl, que estaba al otro lado del valle: "Envíame a uno de tus
hombres para que luchemos. Quien gane la pelea, gana por
todo su ejército, y los vencidos serán siervos de los que
salgan victoriosos".

Los soldados del rey Saúl escuchaban el desafío,
pero ninguno se atrevía a aceptarlo. David llegó al
campamento y, mientras hablaba con sus hermanos,
Goliat gritó de nuevo su desafío. David fue hasta
el rey Saúl y le dijo: "Yo me batiré con él".

"No puedes; no eres más que un muchacho y ese hombre es un guerrero entrenado", le contestó el Rey. "No tengo miedo. Cuidando el rebaño de mi padre maté osos y leones. Dios me salvó de ellos y también me salvará de Goliat", le dijo David.

"Vete, y que Dios te acompañe", dijo el Rey. "Pero ponte mi armadura y lleva mi espada". David se puso el casco y la coraza y tomó la espada, pero pesaban tanto que no podía andar. Se quitó todo y dijo: "No lo necesitaré".

Entonces recogió su bastón y metió cinco piedras del río en su zurrón. Con su honda en la mano, avanzó hacia el valle al encuentro de Goliat.

Cuando el gigante lo vio, se rió. "¿Tú eres quien va a luchar? Acércate, muchacho, que voy a matarte", gritó. David siguió caminando. "Tienes espada, lanza y escudo, pero yo tengo a Dios a mi lado", dijo David. Entonces, puso una piedra en la honda, la hizo girar sobre su cabeza y la lanzó contra el gigante. La piedra se le clavó en la frente y Goliat cayó al suelo. David se acercó y comprobó que estaba muerto. Había acabado con el filisteo.

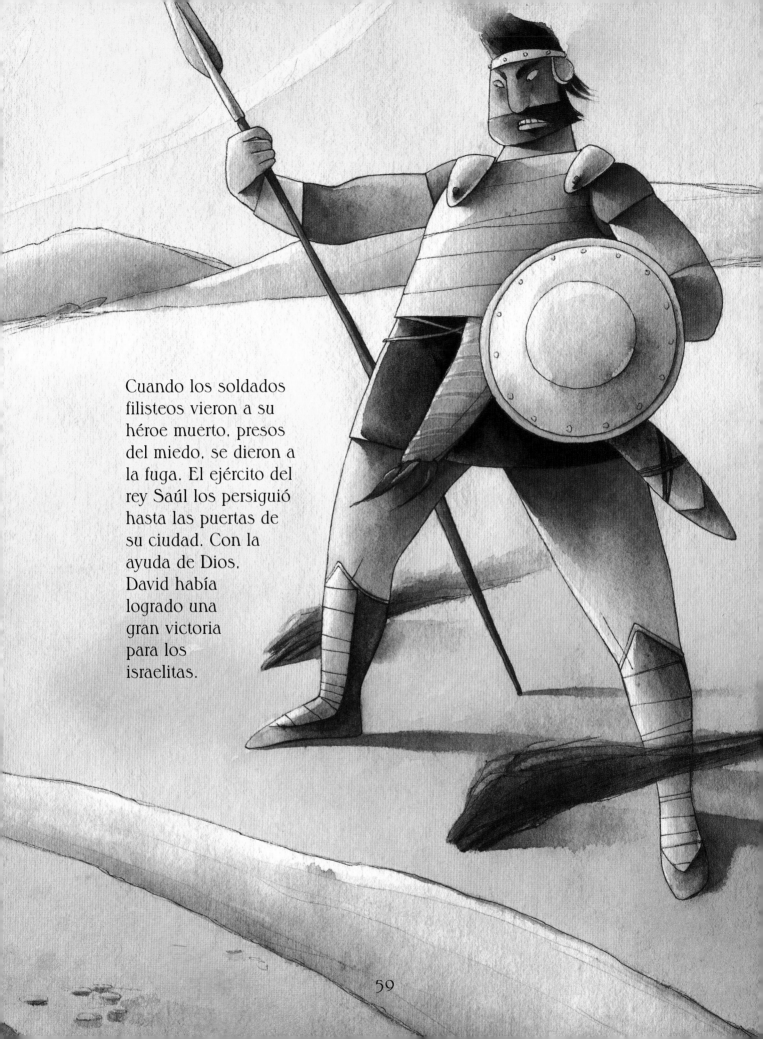

Cuando los soldados
filisteos vieron a su
héroe muerto, presos
del miedo, se dieron a
la fuga. El ejército del
rey Saúl los persiguió
hasta las puertas de
su ciudad. Con la
ayuda de Dios,
David había
logrado una
gran victoria
para los
israelitas.

El rey David

La derrota de Goliat hizo famoso a
David y el rey Saúl estaba tan contento
que le ordenó quedarse a su lado.
David conoció luego al hijo del Rey,
Jonatán, y enseguida se hicieron
grandes amigos. Jonatán
regaló a David su capa
y una espada. Se
querían el uno
al otro como
hermanos y
prometieron que su
amistad sería para siempre.

El rey Saúl puso a David al
frente de su ejército y le dijo que
podía casarse con su hija, Merob. David
se convirtió en un gran guerrero y su fama cada vez
era más grande. Allá donde iba, la gente lo alababa. Pero el rey
Saúl empezó a sentir envidia y a temer que le arrebatara el trono.
Merob se casó con otro hombre, pero cuando el Rey se dio cuenta
de que David amaba a su otra hija, Micol, dijo: "Primero habrás de
matar a cien filisteos". Saúl estaba seguro de que David moriría en
la batalla, pero el joven guerrero salió victorioso y mató a doscientos
filisteos. David se casó entonces con Micol, pero no acabaron aquí
sus problemas.

Jonatán avisó a David de
que el Rey quería matarlo y
rogó a su padre por la vida de
su amigo. Saúl prometió a su hijo
que no haría daño a David, pero pronto
cambió de idea. Una tarde, mientras David tocaba
el arpa ante el Rey, éste le lanzó una jabalina, que pasó
rozándole la cabeza y se clavó en la pared. David supo entonces
que su vida corría peligro.

Esa noche, el rey Saúl ordenó a
sus guardias que vigilaran la casa
de David y que lo mataran por la
mañana. David y Jonatán se
despidieron con mucha tristeza y
volvieron a prometer que serían
siempre fieles a su amistad. David
escapó por una ventana con la
ayuda de Micol y se refugió en los
montes, donde vivió con una banda
de forajidos. Aunque lucharon a
menudo contra los filisteos, tenían
que mover su campamento por todo
el país, ya que el rey Saúl había
ordenado a su ejército que buscara
y matara a David.

En una ocasión en que el ejército de Saúl se acercaba, David y sus hombres simularon estar en el bando de los filisteos y permanecieron en Sicelog, ciudad que estaba en manos de éstos, pues allí no corrían peligro. Luego, cuando los filisteos salieron al encuentro del ejército del rey Saúl, David y sus hombres los acompañaron. En el monte Gelboé se libró una cruenta batalla, durante la cual murieron Jonatán y sus hermanos. El rey Saúl fue herido de gravedad y, antes que caer en manos de los filisteos, se quitó la vida.

Al oír la noticia de que Jonatán había muerto, David lloró desconsoladamente a su querido amigo y entonó esta lamentación: "Saúl y Jonatán, tan amados y queridos, no se separaron ni en vida ni en muerte. Más raudos eran que águilas, más fuertes que leones. ¡Cómo han caído los héroes en medio del combate!".

David fue a Hebrón, donde lo coronaron rey de Israel, pero todavía tuvo que librar muchas batallas contra los partidarios del rey Saúl y los filisteos. Luego, entró con su ejército en Jerusalén y arrebató la ciudad a una tribu de cananitas. David la declaró capital de Israel y mandó que llevaran allí el arca de la alianza, el cajón que contenía las tablas de piedra donde Dios había escrito sus leyes. Cuando llegaron, hubo una gran celebración con cantos, bailes y un gran festín.

David fue un buen rey, un soldado valeroso y un gran líder muy querido por su pueblo. Tuvo muchos hijos e hijas y siempre fue fiel a Dios.

Todo marchó estupendamente durante muchos años, hasta que uno de los hijos de David, Absalón, se propuso arrebatar el trono a su padre. Reunió un ejército y luchó contra el del rey David, pero perdió la batalla. Absalón intentó huir en una mula, pero se enredó en las ramas bajas de un árbol. Los hombres de David lo encontraron en el árbol y lo mataron, en contra de las órdenes del Rey. En lugar de celebrar esta victoria, el rey David lloró amargamente la muerte de su hijo.

En los años de paz que siguieron este episodio, David fue envejeciendo y sintiéndose cada vez más cansado. Sin embargo, aún hubo muchas intrigas sobre quién le iba a suceder. Antes de morir, David llamó al sacerdote Sadoc y le dijo: "Mi hijo Salomón me sucederá cuando muera. Llévalo al manantial de Guijón y úngelo como rey de Israel". El pueblo trajo a Salomón de regreso a Jerusalén entre gritos de alegría. David le dijo a Salomón: "Obedece a Dios y observa sus mandamientos. Si lo haces, Dios cumplirá su promesa y mis descendientes reinarán siempre en esta tierra". Más tarde, tras la muerte de David, Salomón fue rey de Israel.

El sabio Salomón

El hijo de David, Salomón, reinó en Israel desde la gran ciudad de Jerusalén. Una noche, Salomón soñó que Dios le visitaba y le preguntaba: "¿Qué te gustaría que te diera?", a lo que el Rey respondió: "Soy muy joven y no sé gobernar. Dame sabiduría para reinar sobre tu pueblo con justicia y prudencia".

La petición de Salomón agradó mucho a Dios. "Podrías haberme pedido gran fama y riqueza y que diera muerte a tus enemigos", le dijo. "Ya que has pedido sabiduría, te haré el hombre más sabio del mundo, pero también te daré fama y riquezas y una larga vida". Salomón se hizo muy pronto famoso por sus sabias sentencias y la gente iba a escuchar sus palabras. Sin embargo, el Rey nunca olvidó que su sabiduría procedía de Dios.

Un día, dos mujeres, una de ellas con un niño en brazos, vinieron a su corte para que el Rey juzgara su caso. La primera mujer dijo "Esta mujer y yo vivimos en la misma casa. Hace unos días, ambas dimos a luz. El bebé de esta mujer murió, pero me robó el mío mientras dormía y metió a su hijo muerto en mi cama. Ahora dice que éste es su hijo".

"No es verdad; tu hijo murió. Este niño es mío; sé que es mi hijo", gritó la otra mujer. "Trae mi espada", ordenó Salomón a uno de sus soldados. Cuando trajo la espada, el Rey dijo: "Ahora corta al niño por la mitad y entrega una parte a cada una". La segunda mujer gritó: "Sí, mata al niño y que no sea ni para ti ni para mí". Pero la primera mujer se puso de rodillas y suplicó: "Por favor, señor, no matéis a este niño. Dádselo a esta mujer para que viva". El Rey comprendió entonces que ésta era la verdadera madre, ya que prefería perder a su hijo a que lo matasen.

"Dad a esta mujer el niño", ordenó, e hizo marchar a las dos mujeres. Cuando el pueblo de Israel se enteró de esta sentencia, comprendió que la sabiduría del rey Salomón venía de Dios.

El templo de Salomón

Salomón llevaba cuatro años reinando en Israel cuando comenzó a hacer planes para construir un templo, la casa del Señor, en la ciudad de Jerusalén. Envió a cientos de hombres a los montes a extraer piedra de las canteras y a tallarla para hacer con ella los cimientos. Salomón quería madera de cedro para recubrir las paredes del templo, pero los mejores cedros crecían en el norte, en una tierra gobernada por Jirán, rey de Tiro.

El rey Salomón firmó un acuerdo con Jirán para que éste permitiera que se cortaran los árboles y se enviaran en balsas por mar hasta el templo. A cambio, Salomón le daría todos los años toneladas de trigo y aceite.

En la construcción del templo trabajaron miles de hombres. El templo se disponía en dos salas. La interior era una cámara cuadrada sin ventanas. Dos bestias enormes talladas en madera de olivo y revestidas de oro desplegaban sus inmensas alas sobre esta cámara. Ésta era la parte más sagrada del templo, a la que sólo podía acceder el sumo sacerdote en una ocasión al año, durante la fiesta del Día de la Expiación.

En la sala exterior había un altar y diez candelabros, y las paredes estaban recubiertas con madera de cedro tallada con flores, árboles y criaturas aladas. Todo, incluso el suelo de madera, estaba revestido de oro. A la entrada del templo había dos columnas de bronce y, detrás de doce bueyes de bronce, una pila enorme. El templo se abría a varios patios donde el pueblo podía rezar a Dios.

Las obras del templo terminaron por fin al cabo de siete años. Salomón había construido un templo espléndido y lo había llenado de tesoros. Entonces, llamó a todos los sacerdotes y al pueblo para que asistieran a una gran ceremonia. Los sacerdotes colocaron el arca de la alianza en la cámara sagrada y la presencia de Dios llenó todo el templo.

Fuera, el rey Salomón rezó a Dios delante del pueblo: "Oh, Señor, Dios de Israel, no hay otro dios que, como tú, ame a su pueblo y cumpla sus promesas. Cuida de tu templo, oye las plegarias de tu pueblo, perdónalo cuando te ofenda y ayuda a los que te aman y te obedecen". Entonces, Salomón se dirigió al pueblo y dijo: "Que el Señor esté siempre con nosotros. Que seamos siempre fieles a Dios y cumplamos sus mandamientos".

Cuando terminó la ceremonia, el Rey dio un gran banquete para el pueblo, que duró siete días. Luego Salomón bendijo a todos y los envió a sus casas, feliz y agradecido por todo lo que Dios había hecho por el pueblo de Israel.

Elías

El reinado de Salomón fue largo y glorioso. Los mercaderes trajeron abundantes cargamentos repletos de riquezas y Salomón construyó magníficos edificios y grandes fortalezas. Desposó a princesas extranjeras, quienes trajeron consigo a sus propios dioses. Ya viejo, Salomón olvidó las promesas hechas a Dios y adoró a los dioses de sus esposas. Dios le advirtió que debía cumplir los mandamientos, pero Salomón no hizo caso. Entonces, Dios le dijo: "Ya que no me has sido fiel como prometiste, tu hijo perderá casi todo tu reino".

Tras la muerte de Salomón, su hijo Roboán lo sucedió en el trono, pero el reino de Israel se dividió en dos. Judá, la mitad situada al sur, donde se encuentra Jerusalén, permaneció fiel al rey Roboán. Pero las diez tribus del norte hicieron rey a Jeroboán, uno de los oficiales de Salomón. El rey Jeroboán construyó dos becerros de oro para que su pueblo los adorase en vez de acudir al templo de Jerusalén.

Tras la muerte de Jeroboán, el reino del norte fue gobernado por muchos soberanos. El séptimo de ellos, el rey Ajab, construyó un templo en honor a Baal, uno de los dioses de su pueblo y de su esposa, Jezabel. La reina Jezabel era muy cruel y mandó matar a muchos de sus súbditos fieles a Dios. Elías, un hombre de gran valor que seguía amando y obedeciendo a Dios, anunció un día al rey Ajab que no habría lluvia durante muchos años y que la gente moriría de hambre.

Para que estuviera a salvo, Dios ordenó a Elías: "Ve al valle del Querit y quédate a vivir allí. Podrás beber el agua del torrente y los cuervos te llevarán alimento".

Elías obedeció a Dios. Todas las tardes
y todas las mañanas los cuervos le llevaban pan
y carne y el torrente le daba el agua que necesitaba. Al cabo de un
tiempo, la falta de lluvia hizo que el riachuelo se secara. Dios ordenó
entonces a Elías que fuera a un lugar cercano a Sidón, donde vivía
una viuda, y que le pidiera comida.

Cuando llegó al lugar, Elías se encontró con una viuda recogiendo
leña. "Por favor, dame agua para beber y un poco de pan", le pidió
Elías. "No tengo comida", contestó la mujer. "Sólo me queda un
puñado de harina y unas gotas de aceite. Voy a cocer nuestra última
hogaza de pan con el fuego que haga con esta leña. Luego, cuando
mi hijo y yo hayamos terminado el pan, moriremos de hambre".

"Ve a tu casa", dijo Elías, "y haz una hogaza pequeña para mí y
otra para ti y para tu hijo. Dios ha dicho que, de ahora en adelante,
la harina y el aceite no te faltarán nunca hasta que vuelvan las
lluvias". La mujer hizo lo que le dijo Elías y luego vio como cada
día tenía suficiente harina y aceite para cocer pan para su hijo,
para ella misma y para Elías.

Pero un día el hijo de la viuda enfermó gravemente y murió. La mujer
quedó destrozada: "¿Por qué me haces esto? ¿Me quieres castigar?
¿Le has contado a Dios todo lo malo que he hecho en mi vida?", le
preguntó llorando. "Dame al niño", le dijo Elías, quien lo subió a su
habitación y lo acostó sobre su cama. Luego rezó tres veces a Dios:
"Señor, Dios mío, ¿por qué haces sufrir a esta mujer que ha sido tan
generosa conmigo? Por favor, devuelve la vida a este niño".

Dios escuchó los ruegos
de Elías, pues el niño
abrió los ojos y se sentó
en la cama. Elías lo tomó
en brazos y se lo llevó
a su madre, a quien dijo:
"Aquí tienes vivo a tu hijo".
La mujer, llena de alegría,
le contestó: "Ahora
reconozco que eres un
hombre de Dios y que lo
que dices es cierto".

La sequía duró tres años, durante los cuales no hubo cosechas y mucha gente murió de hambre. Elías se presentó ante el rey Ajab y le acusó de haber traído la desgracia a Israel al adorar al dios Baal. Elías le pidió que los sacerdotes de Baal y todo el pueblo se reuniesen con él en el monte Carmelo y Ajab accedió.

Cuando todos llegaron al monte Carmelo, Elías dijo: "No podéis adorar a Baal y a Dios a la vez. Veamos quién es el Dios verdadero". Luego se dirigió a los sacerdotes: "Construid un altar a Baal que yo construiré otro a Dios. El dios que prenda fuego a su altar será el Dios verdadero".

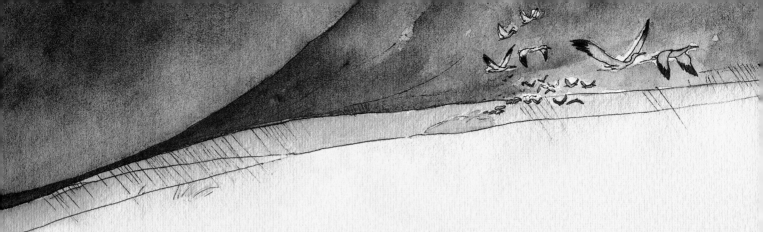

Los sacerdotes levantaron el altar y lo cubrieron con leña. Luego, rezaron a Baal para que prendiera fuego a la leña, pero no ocurrió nada. Elías construyó entonces su altar y lo cubrió con leña. Después vertió agua encima para empapar la madera y se puso a rezar: "Señor, Dios de Israel, que este pueblo sepa que tú eres el Señor para que vuelva a ti".

En ese instante, Dios envió el fuego, que prendió la leña y la hizo arder ferozmente. Al ver esto, el pueblo se postró en la tierra y exclamó: "¡El Señor es Dios!".

Elías subió a la cima del monte Carmelo y rogó a Dios que trajera la lluvia. Al cabo de un rato, el cielo empezó a oscurecerse con más y más nubarrones hasta que se desató una lluvia torrencial. Elías se puso tan contento que se sujetó el manto con el cinturón y corrió hasta Jezrael, en el reino de Judá, adelantándose al carro de Ajab.

Al día siguiente, todo cambió. La reina Jezabel ordenó la muerte de Elías y éste tuvo que huir. Se marchó corriendo hasta el desierto y luego continuó hasta el monte Sinaí. Allí lo encontró Dios solo y le dijo: "¿Qué haces aquí, Elías?". "Han asesinado a todos tus profetas y también a mí quieren matarme", le contestó. "Regresa y busca a Eliseo, ya que él te sucederá como profeta. Aún quedan miles de israelitas que me siguen siendo fieles. Y recuerda que estoy contigo".

Elías hizo lo que Dios le había mandado y encontró a Eliseo en el campo. Elías se quitó el manto y se lo colocó a Eliseo sobre los hombros, en señal de que él sería el próximo profeta de Israel. Eliseo dejó su casa y siguió a Elías en sus viajes por el país, durante los cuales hablaba de Dios al pueblo.

Nabot y su viña

El palacio del rey Ajab estaba en Jezrael y a su lado había una viña que pertenecía a un hombre llamado Nabot. El Rey quería la viña para convertirla en jardín y ordenó a Nabot: "Véndeme tu viña o cámbiala por otra mejor".

Sin embargo, Nabot se negó al trato. "Esta viña pertenece a mi familia y quiero dejársela a mi hijo en herencia. Venderla iría contra las leyes de Dios". Al ver al Rey enfadado, la reina Jezabel le preguntó: "¿Por qué estás de mal humor?". Cuando Ajab le contó el asunto de la viña, la Reina le dijo: "¿Acaso no eres rey de Israel? Yo te daré tu viña".

La reina Jezabel acusó falsamente a Nabot de traición contra el Rey y de desobedecer las leyes de Dios. Lo declararon culpable y lo mataron a pedradas. La Reina anunció entonces a Ajab que Nabot había muerto y que la viña era suya.

Cuando el rey Ajab fue a la viña, se encontró allí a Elías, a quien había mandado Dios. "Dios dice que has causado la muerte de un hombre inocente. En castigo, también tú morirás", le dijo Elías. "La reina Jezabel morirá aquí en Jezrael y toda tu familia será exterminada".

El rey Ajab, horrorizado, cambió su conducta y Dios vio que estaba arrepentido. Durante un tiempo reinó la paz en Israel, pero al cabo de tres años, el rey Ajab se unió al rey Josafat de Judá y ambos declararon la guerra a los sirios. Hubo una gran batalla y el rey Ajab murió tras sufrir una herida de flecha. Más tarde, la reina Jezabel fue asesinada en Jezrael, por lo que las palabras de Elías acabaron cumpliéndose.

Eliseo y Naamán

Elías se hacía viejo y sabía que no le quedaba mucho tiempo. Eliseo lo acompañó en su último viaje y, cuando cruzaron el río Jordán, Elías le dijo: "Muy pronto moriré. ¿Qué quieres que te deje en herencia?". Eliseo respondió: "Seguiré yo solo tu obra. Dame tu fuerza". "Eso es muy difícil, pero si presencias mi partida hacia la muerte, sabrás que tu deseo ha sido concedido", le dijo su maestro.

En ese preciso momento, pasó entre ellos un carro con caballos de fuego y Eliseo vio como un torbellino arrebataba a Elías y lo llevaba hacia el cielo. Así supo que la fuerza de Elías le había sido concedida. Lleno de tristeza, recogió el manto de su maestro, que había caído al suelo, y se marchó para continuar la obra de Elías.

Naamán, general del ejército sirio, era un soldado muy valiente y un hombre de gran riqueza, con una casa enorme y muchos criados. Pero tenía una enfermedad terrible de la piel, llamada lepra. La mujer de Naamán tenía una esclava nueva, una joven que habian capturado los sirios durante una incursión en Israel. La joven le dijo a su ama: "Si mi señor acudiera al profeta Eliseo de Israel, seguro que se curaría de la lepra".

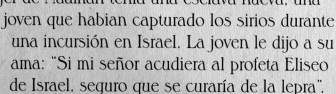

Cuando la mujer de Naamán le contó a su marido lo que había dicho la joven, éste pidió permiso al rey de Siria para ir a Israel. El Rey le dio una carta dirigida al rey de Israel para que Naamán atravesara el país sin peligro.

Naamán viajó en su carro con muchos criados, dinero y vestidos. Cuando llegó a la casa de Eliseo, un criado le abrió la puerta y le dijo: "Ha dicho mi señor que debes ir al Jordán y bañarte allí siete veces. Entonces quedarás curado". El general gritó, indignado: "¿Por qué no sale Eliseo a verme? Pensé que llamaría a su Dios y me curaría. ¿Por qué debo bañarme en el Jordán? ¿Acaso no hay ríos aún mejores en Siria?".

Naamán se disponía a emprender el regreso cuando uno de sus criados le dijo: "Mi señor, si Eliseo te hubiese mandado algo difícil, ¿no lo habrías hecho? Pues si sólo te ha dicho que te bañes en el Jordán, ¿por qué no probarlo?". Naamán dio la razón a su criado y fue al Jordán, donde se bañó siete veces. Cuando salió del río, su piel había quedado limpia y suave. Estaba curado.

Lleno de alegría, Naamán regresó a ver a Eliseo para darle las gracias. "Ahora sé que sólo hay un Dios verdadero", le dijo, e intentó darle todos los regalos que había traído. Eliseo no los aceptó, pero dio su bendición a Naamán y lo envió de regreso a su casa. Eliseo realizó muchas más maravillas y siempre supo que Dios lo protegía. Se hizo tan famoso que hasta los reyes le pedían consejo, pero siempre estuvo dispuesto a ayudar a cualquier persona que estuviera en apuros. Cuando murió, todo el pueblo de Israel lamentó su pérdida.

Jeremías

Jeremías, que vivía en Judá, recibió la llamada de Dios para ser su profeta. Dios le dijo que su misión sería la de advertir al pueblo de Judá que ocurrirían cosas terribles a menos que dejara de rezar a dioses falsos y fuera fiel al único Dios verdadero. Jeremías tuvo miedo y le dijo: "Oh, Señor, soy demasiado joven y no sé hablar en público". Pero Dios le respondió: "Te elegí antes de que nacieras. Pondré mis palabras en tu boca y siempre te protegeré".

El rey Josías gobernaba entonces el pequeño reino de Judá, pero siempre había guerra con enemigos en sus fronteras. Josías murió luchando contra los egipcios, quienes atravesaban su reino rumbo al norte para unirse a los asirios en una batalla contra los babilonios.

Jeremías dedicó muchos años a contar al pueblo de Judá una y otra vez lo que Dios le decía, pero nadie le hacía caso. Un día, fue a casa de un alfarero y lo estuvo observando mientras modelaba una vasija de arcilla en el torno. Cada vez que la vasija se torcía, el alfarero aplastaba la arcilla y volvía a empezar.

Dios dijo a Jeremías: "El pueblo de Israel es como arcilla en mis manos. Puedo destruirlo si insiste en hacer el mal, pero también puedo volver a reconstruirlo si enmienda su conducta". Jeremías contó al pueblo lo que Dios le había dicho, pero la gente siguió sin prestarle atención.

En otra ocasión, Jeremías se dirigió a las puertas del templo de Jerusalén y exclamó al pueblo: "Dios dice que no lo escucháis y que no obedecéis sus leyes. Destruirá el templo y la ciudad de Jerusalén". Los sacerdotes se enfadaron tanto que ordenaron que le dieran una paliza y lo encerraron en prisión.

Jeremías no podía hablar al pueblo desde su encierro, pero sí podía escribir. Dedicó horas y horas a escribir al rey de Judá, pero éste tiró el pergamino al fuego. Jeremías volvió a escribirlo todo una vez más, pero tampoco esta vez leyó el Rey su carta.

Nabucodonosor, rey de los babilonios, llevó a su ejército hasta Jerusalén, coronó a Sedecías rey de Judá y llevó a miles de israelitas de esclavos a Babilonia. Sedecías gobernó en Judá durante diez años, pero luego se sublevó contra los babilonios y Nabucodonosor regresó a Jerusalén y sitió la ciudad con su ejército.

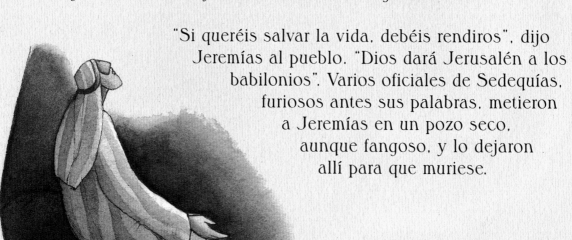

"Si queréis salvar la vida, debéis rendiros", dijo Jeremías al pueblo. "Dios dará Jerusalén a los babilonios". Varios oficiales de Sedequías, furiosos antes sus palabras, metieron a Jeremías en un pozo seco, aunque fangoso, y lo dejaron allí para que muriese.

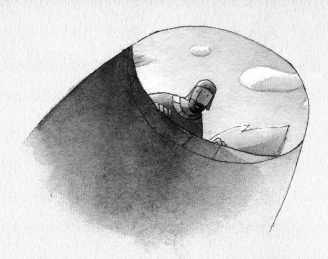

Un hombre llamado Abdemélec, que trabajaba en el palacio del Rey, pidió permiso para rescatar a Jeremías. El Rey se lo concedió y Abdemélec sacó a Jeremías del pozo con la ayuda de unas cuerdas y otros hombres.

El rey Sedecías pidió consejo a Jeremías y éste le dijo: "Debes rendirte o Jerusalén será destruida". Pero Sedecías no quiso rendirse e intentó huir de la ciudad sitiada. Los babilonios lo apresaron, lo cegaron y mataron a sus dos hijos. Luego se lo llevaron encadenado a Babilonia.

El ejército de Nabucodonosor abrió una brecha en las murallas de Jerusalén. Los soldados destruyeron el palacio del Rey, arrasaron el templo y las casas y prendieron fuego a la ciudad. Robaron los tesoros del templo, capturaron a miles de israelitas más y los llevaron encadenados a Babilonia.

Jeremías se quedó con los pocos que quedaron en la ciudad. El pueblo de Judá no había hecho caso a las advertencias de Dios y ahora sufría su castigo. Jeremías escribió al pueblo exiliado en Babilonia: "Dios dice así: os promete que un día os traerá de regreso a casa. En el exilio, aprenderéis a amarlo de nuevo. Recordaréis sus leyes y haréis el bien. Tendréis que esperar hasta que llegue el momento de regresar a vuestra tierra".

La historia de Daniel

Daniel estaba entre los muchos israelitas que fueron capturados en Jerusalén por el ejército del rey Nabucodonosor y deportados a la lejana ciudad de Babilonia. Allí, Daniel fue elegido junto a otros jóvenes inteligentes y de buen aspecto para recibir un tratamiento especial, aprender el idioma de los babilonios, estudiar su literatura y escuchar las enseñanzas de sus sabios. El Rey incluso les enviaba la comida de sus propias cocinas.

Daniel y tres de sus amigos, Sidrac, Misac y Abdénago, querían obedecer las leyes de Dios en cuanto a los alimentos que comían, por lo que se negaron a aceptar lo que recibían del Rey. "Déjanos comer sólo legumbres y beber sólo agua", pidió Daniel al oficial de la corte encargado de alimentarlos. "Mi vida peligrará si os quedáis más flacos que los demás muchachos o si enfermáis", contestó el oficial, que le tenía simpatía al joven. "Pero os dejo que probéis durante diez días".

Al cabo de los diez días, Daniel y sus amigos tenían mejor y más sano aspecto que los demás muchachos, y en sus estudios iban estupendamente, de modo que el oficial les permitió alimentarse con su propia comida. Pasaron diez años y Daniel alcanzó un nivel de conocimientos y sabiduría igualable al de los sabios de Babilonia. También era experto en interpretar el significado de los sueños. El Rey estaba tan satisfecho con Daniel y sus amigos, que los hizo oficiales de la corte.

Una noche, el rey Nabucodonosor tuvo un sueño aterrador que lo dejó muy preocupado. Por la mañana, mandó llamar a todos los sabios y les contó: "Anoche tuve un sueño, pero ahora no recuerdo lo que era. Debéis decirme qué soñé y qué significado tiene". Pero los sabios le respondieron: "Podríamos explicarte lo que significa, si primero nos contaras el sueño".

"Sois vosotros quienes tenéis que decirme qué soñé", gritó el Rey. "Nadie en la tierra sabrá decírtelo", contestaron los sabios. El Rey montó en cólera y ordenó que mataran a todos los sabios de Babilonia.

Cuando los soldados fueron a apresar a Daniel, éste les dijo: "Dejadme hablar con el Rey. Yo le contaré su sueño". Daniel y sus amigos rezaron a Dios para que los ayudara y los salvara de morir junto a los demás sabios. Esa noche, Daniel soñó que Dios le contaba lo que significaba el sueño del Rey.

Al día siguiente, lo llevaron ante el Rey y Daniel le dijo: "Mi señor, soñaste con una estatua gigante con la cabeza de oro, el cuerpo de plata y bronce, las piernas de hierro y los pies de hierro y arcilla. De repente, una piedra rompió los pies y toda la estatua se derrumbó en el suelo. Se partió en miles de motas de polvo que volaron con el viento. Luego, la piedra se convirtió en una gran montaña que cubrió toda la tierra".

"Te diré qué significa este sueño", continuó Daniel. "La cabeza de oro eres tú, gran Rey; la plata, el bronce, el hierro y la arcilla son los imperios que seguirán al tuyo; unos serán fuertes, otros débiles, pero ninguno durará para siempre; la piedra que romperá la estatua es el reino de Dios, que nunca será destruido".

Las palabras de Daniel impresionaron al rey Nabucodonosor, quien dijo: "Tu Dios es el Dios de todos los dioses, si es capaz de revelarte semejantes misterios". El Rey agasajó a Daniel y lo nombró gobernador de toda Babilonia y jefe supremo de todos sus sabios. A petición de Daniel, el Rey también concedió cargos importantes a Sidrac, Misac y Abdénago.

Varios años más tarde, el rey Nabucodonosor mandó
levantar una gran estatua de oro de treinta metros de altura
dedicada a uno de sus dioses. La colocó en la llanura de
Dura y ordenó a todos sus gobernadores, oficiales, jueces
y consejeros asistir a la gran ceremonia de dedicación.
También habría músicos que tocarían la gaita, la
lira y el arpa. Daniel, sin embargo, se quedó
en el palacio de Babilonia.

"Cuando oigáis la música", ordenó
el Rey, "arrodillaos y alabad al
dios, o moriréis en un horno
de fuego".

Todos los presentes hicieron lo
que el Rey había ordenado, excepto
los tres amigos de Daniel, Sidrac,
Misac y Abdénago. El Rey se enfadó
muchísimo cuando oyó que los tres
amigos se habían negado a adorar al
dios y les dijo que los mataría.

"Nuestro Dios nos salvará de las llamas", dijeron. "Pero incluso si no es así, no adoraremos a otro dios ni nos arrodillaremos ante la estatua de oro".

Lleno de furia, el Rey mandó que avivaran el fuego del horno para hacerlo siete veces más ardiente. Luego, ataron a los tres amigos y los arrojaron dentro con la ropa puesta. El Rey se quedó mirando, pero sólo vio que los tres caminaban tranquilamente entre las llamas y que luego apareció un cuarto hombre. El Rey se quedó atónito y fijó la mirada. "Veo a cuatro hombres, y el cuarto se asemeja a un dios", dijo.

El Rey se acercó al horno y dijo: "Sidrac, Misac y Abdénago, salid". Los tres amigos salieron del horno sin las cuerdas que los habían atado. La ropa y el pelo no estaban chamuscados lo más mínimo y ni siquiera olían a humo.

"Bendito sea el Dios de estos hombres, que ha mandado un ángel a rescatarlos. Ordeno que nadie diga jamás nada contra estos hombres ni contra su Dios", dijo el rey Nabucodonosor. Luego, ascendió a los tres amigos a cargos de más poder en Babilonia.

El banquete de Baltasar

Daniel siguió en Babilonia y, más tarde, cuando el rey Nabucodonosor murió, su hijo Baltasar subió al trono. Un día, el rey Baltasar celebró un gran banquete para cien de sus dignatarios. El Rey quiso impresionar a sus invitados y ordenó a sus criados que trajesen las copas de oro y plata que su padre había robado del templo de Jerusalén.

El rey Baltasar hizo que sus criados sirvieran el vino en las copas, de las que bebieron todos los asistentes y con las que brindaron por sus dioses. Todos reían y gritaban cuando, de repente, vieron una mano humana que escribía en la pared. Se quedaron todos en silencio y al Rey le entró tanto miedo que le empezaron a temblar las piernas.

"Llamad a todos los sabios de Babilonia", mandó a gritos. Cuando llegaron, dijo: "Quien me diga qué significan estas palabras será el tercer hombre más importante del reino". Pero ninguno de ellos supo explicarle su significado.

Entonces, la Reina recordó que Daniel había interpretado el sueño de Nabucodonosor y lo llamaron a palacio. "Dime qué significa esto y te haré rico y poderoso", dijo el Rey a Daniel.

Daniel miró lo escrito en la pared y dijo: "Le has faltado al respeto a Dios bebiendo en las copas robadas de su templo y alabando a tus dioses. Tu reino quedará dividido entre los medos y los persas". Esa misma noche, las palabras de Daniel se hicieron realidad. Los medos y los persas tomaron el reino. Baltasar murió asesinado y Darío el medo fue nombrado rey de Babilonia.

Daniel y los leones

Daniel se hacía viejo, pero el rey Darío lo tenía por hombre sabio y lo nombró gobernador de Babilonia, junto a otros dos hombres. Entre los tres, administraban el reino en nombre del Rey. Daniel servía a Darío fielmente, pero sin dejar de alabar a Dios. Todos los días se arrodillaba tres veces frente a su ventana, mirando a Jerusalén, y rezaba a Dios.

Los otros dos gobernadores del reino eran unos envidiosos y querían librarse de Daniel, pero por mucho que rebuscaban, no encontraban nada de qué acusarlo. Entonces decidieron que la forma de atraparlo sería mediante su devoción por Dios.

Fueron al rey Darío y le rogaron que aprobara una ley nueva. "Gran Rey, promulga una ley que exija que durante treinta días sólo se te alabe a ti. Si cualquiera reza a otro dios, que sea arrojado a los leones", le pidieron. El Rey aceptó y proclamó una ley que nadie podía cambiar.

Daniel se enteró de la ley nueva, pero siguió rezando a Dios tres veces al día frente a su ventana. Los dos gobernadores lo vieron y fueron corriendo a contárselo al Rey.

El rey Darío se disgustó muchísimo, ya que apreciaba a Daniel y confiaba en él, pero había incumplido la ley y debía morir. El Rey no encontró forma de salvarlo, de modo que ordenó que lo arrojaran al foso. Cuando Daniel estuvo dentro, cerraron el foso con una gran roca y el rey Darío le dijo: "¡Que tu Dios, a quien sirves tan fielmente, te salve!".

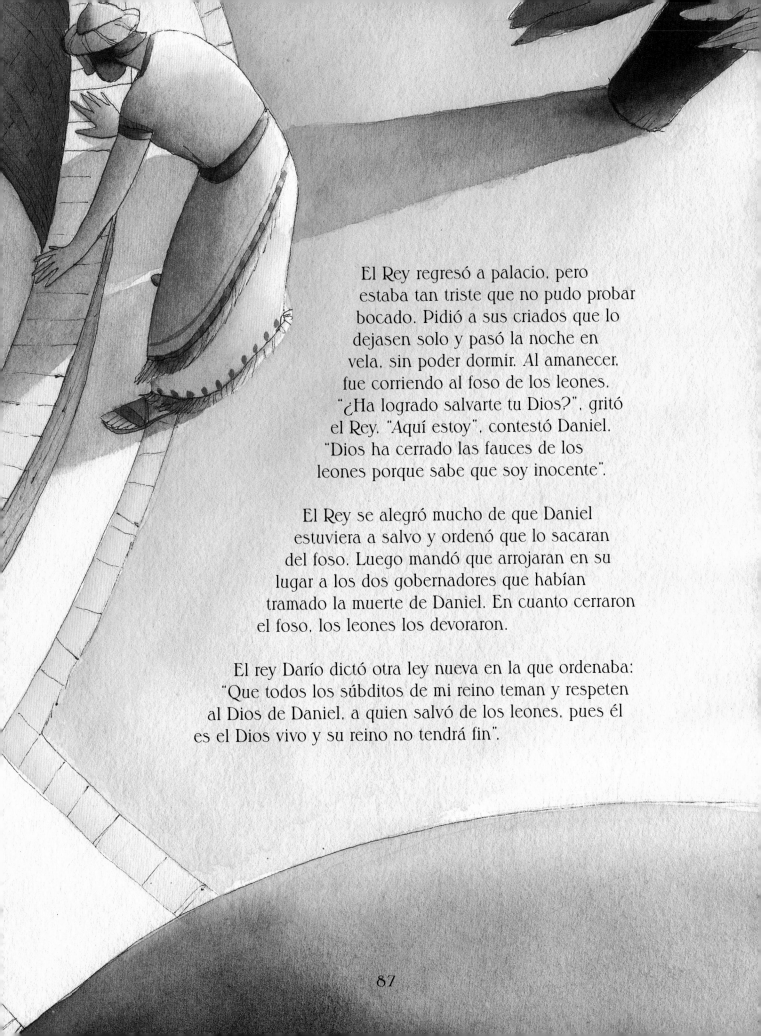

El Rey regresó a palacio, pero
estaba tan triste que no pudo probar
bocado. Pidió a sus criados que lo
dejasen solo y pasó la noche en
vela, sin poder dormir. Al amanecer,
fue corriendo al foso de los leones.
"¿Ha logrado salvarte tu Dios?", gritó
el Rey. "Aquí estoy", contestó Daniel.
"Dios ha cerrado las fauces de los
leones porque sabe que soy inocente".

El Rey se alegró mucho de que Daniel
estuviera a salvo y ordenó que lo sacaran
del foso. Luego mandó que arrojaran en su
lugar a los dos gobernadores que habían
tramado la muerte de Daniel. En cuanto cerraron
el foso, los leones los devoraron.

El rey Darío dictó otra ley nueva en la que ordenaba:
"Que todos los súbditos de mi reino teman y respeten
al Dios de Daniel, a quien salvó de los leones, pues él
es el Dios vivo y su reino no tendrá fin".

El regreso a Jerusalén

Ciro, que gobernaba Persia desde su palacio de Babilonia, era un rey bueno. Un día proclamó un edicto que decía: "El Señor, Dios de Israel, me ha pedido que le construya una casa en Jerusalén. Todo su pueblo es libre de regresar a su tierra a reconstruir el templo que levantó Salomón. Devolveré todos los tesoros que el rey Nabucodonosor robó del templo antes de destruirlo".

Los israelitas, o judíos, como también los llamaban, se alegraron muchísimo de ser por fin libres de regresar a su tierra. Cuarenta y dos mil personas se prepararon para el largo viaje a través del desierto. Se llevaron consigo a sus criados, caballos, mulas y camellos, todos cargados con mercancías y alimento. Cuando llegaron a Jerusalén, se pusieron inmediatamente a reconstruir el templo. Muchos regalaron oro y plata para pagar a los canteros y a los carpinteros, a quienes también dieron de comer. En cuanto los albañiles colocaron los cimientos del templo, los sacerdotes entonaron canciones de alabanza y agradecimiento a Dios.

La gente que había vivido en Judá mientras los judíos estaban exiliados en Babilonia se ofreció a ayudar con la construcción, pero los judíos se negaron, ya que querían hacerlo solos. Esta reacción trajo problemas con la gente del país y las obras del templo estuvieron paradas mucho tiempo. Los judíos se dedicaron entonces a construir sus casas, hasta que varios profetas de Dios les hicieron sentirse avergonzados. "La casa de Dios permanece en ruinas mientras vosotros construís vuestras propias casas", les reprocharon.

Los judíos volvieron entonces a las obras del templo y continuaron hasta que estuvo terminado. No era tan imponente como el construido en tiempos del rey Salomón, pero no dejaba de ser un edificio magnífico. Los sacerdotes celebraron la Pascua en el templo y el pueblo dio las gracias a Dios.

Pasaron muchos años, durante los cuales los judíos vivieron pacíficamente en Israel. Mientras tanto, en Persia se había quedado un sabio, llamado Esdras, que vivía en Babilonia. Esdras estudiaba las leyes que Dios entregó a Moisés y opinaba que los judíos de Israel no las conocían bien. Dispuesto a viajar a Jerusalén para enseñárselas, pidió permiso al Rey para marchar.

"Puedes ir", le dijo el Rey. "Y todo el que quiera puede acompañarte. Te daré oro y plata y todo lo que necesites para el templo de Dios". Esdras dejó atrás Babilonia en compañía de muchos otros judíos que se habían quedado en la ciudad. El viaje fue largo y estuvo lleno de peligros, pero Dios los protegió, como Esdras sabía que ocurriría, y llegaron por fin a Jerusalén.

Allí Esdras vio que no todo el pueblo respetaba las leyes de Dios. Muchos se habían casado con extranjeras, quienes habían traído consigo sus propios dioses. La destrucción de Jerusalén y el exilio de los judíos se habían producido por esta misma causa.

Esdras convocó a todo el pueblo de Judá en Jerusalén a los tres días. Cuando todos los judíos se reunieron frente al templo, les dijo: "Habéis roto las promesas que hicisteis a Dios". Luego les enseñó las leyes de Dios y les mostró cómo debían cumplirlas.

Se reconstruye Jerusalén

Nehemías vivía en el palacio del Rey de Persia, donde trabajaba de copero real. Cuando oyó que el templo de Jerusalén había sido reconstruido, pero que las murallas de la ciudad seguían en ruinas, se entristeció mucho. Nehemías era judío y se preocupaba por su pueblo. Pasó varios días sin comer y rezó a Dios para que lo ayudara.

Una noche, mientras servía el vino al rey Artajerjes, éste notó su sufrimiento y le preguntó: "¿Por qué estás triste? ¿Acaso estás enfermo?". A lo que Nehemías respondió: "No, señor". Le daba miedo hablar con el Rey, pero rezó a Dios en silencio y le dijo: "Estoy triste porque Jerusalén, la ciudad de mis antepasados, está en ruinas. Te ruego que me dejes ir para ayudar a reconstruirla".

El Rey dejó marchar a Nehemías con una escolta real y cartas dirigidas a los gobernadores de las provincias que atravesaría en su viaje, para que no le dieran problemas y le ayudaran en todo lo que necesitara.

Cuando Nehemías llegó a Jerusalén, se quedó tres días en la ciudad. En la última noche, cabalgó alrededor de la ciudad en compañía de varios hombres para examinar las murallas, pero no se lo dijo a nadie. A la mañana siguiente, fue a buscar a los sacerdotes y a los dirigentes del pueblo.

"Reconstruyamos nuestra ciudad para devolverle su antigua grandeza. Deberían darnos vergüenza sus murallas caídas y sus puertas derruidas. Dios nos ayudará", les dijo. Luego les contó que sus súplicas habían sido escuchadas y que el rey de Persia le había dejado regresar a trabajar en Jerusalén.

Nehemías fue nombrado gobernador de Judá y organizó grupos de voluntarios. Las distintas familias se ocuparon de construir y reparar las murallas y las puertas más cercanas a sus casas. Sin embargo, había gente que no quería que Jerusalén volviera a ser una ciudad fortificada; personas que se burlaban de los judíos e intentaban impedirles que acabaran la obra.

"¿Qué hacen estos miserables judíos?", decían entre burlas. "¿Creen que van a construir una ciudad con escombros? Hasta un zorro podría destruir esas murallas". Pero los judíos seguían trabajando, animados por Nehemías. "Dios está con nosotros y nos ayudará", les decía.

Luego, los enemigos de los judíos planearon un ataque, pero Nehemías había preparado la defensa. De nuevo pidió a Dios su ayuda y colocó guardias para proteger las murallas día y noche. Durante el día, la mitad trabajaba en la obra mientras la otra mitad vigilaba.

Los enemigos no se daban por vencidos y esta vez enviaron mensajes a Nehemías que decían: "Encontrémonos fuera de la ciudad y hablemos". Pero Nehemías siempre contestaba: "La obra que tengo entre manos es muy importante. No tengo tiempo de parar para hablar".

Con la ayuda de Dios, la reconstrucción de las murallas se finalizó en cincuenta y dos días y Jerusalén volvió a ser una ciudad fortificada. Los judíos organizaron una gran celebración, con desfiles por la ciudad y cantos de agradecimiento a Dios. Todo el mundo estaba muy contento.

Cuando el pueblo llegó a la puerta del agua, Esdras, el estudioso, leyó las leyes de Dios y las explicó. Todos rogaron a Dios que los perdonase por todos los males que habían hecho y prometieron amarlo siempre y obedecer sus leyes.

Ester, la valerosa

El rico y poderoso rey Jerjes gobernaba sobre todo el imperio persa. A los tres años de subir al trono, organizó un gran banquete en la capital del imperio, Susa. La fiesta duró siete días y los invitados comieron manjares y bebieron vino en copas de oro.

Una noche, el Rey quiso mostrar a sus invitados lo bella que era su esposa, la Reina. "Que me traigan a la reina Vasti", ordenó a sus criados. La Reina había organizado su propio banquete para mujeres y mandó un mensaje negándose a acudir. El rey Jerjes entró en cólera, ya que le pareció que había quedado en ridículo delante de sus invitados. Sabía que todas las mujeres persas pensarían que, desde entonces, podrían desobedecer a sus maridos. El Rey ordenó que echaran a la Reina de palacio y anunció que ya no era su esposa. "Tendré una reina nueva", dijo.

El rey Jerjes envió a sus criados a recorrer el reino para reunir a las jóvenes más bellas, entre las cuales elegiría a su nueva esposa. Había un hombre que trabajaba en palacio, Mardoqueo, que tenía una prima joven llamada Ester. A la muerte de los padres de su prima, Mardoqueo la había criado como a su propia hija. Era una muchacha bella, bondadosa y de carácter dulce y los criados la eligieron también a ella.

El Rey pasó revista a las jóvenes, tan bellas como bien vestidas, y eligió a Ester como esposa. Mardoqueo estaba muy contento, pero advirtió a Ester que no dijera nunca a nadie que era judía y no persa.

Un día, Mardoqueo escuchó a dos hombres que tramaban asesinar al Rey y fue corriendo en busca de Ester. "Avisa a tu esposo", le dijo, y le contó quiénes eran los conspiradores. Ester informó al Rey y éste ordenó la muerte de ambos. Satisfecho de la lealtad de Ester y Mardoqueo, Jerjes ordenó que escribieran el nombre de éste en los archivos de palacio.

El primer oficial del Rey era un hombre orgulloso y cruel, llamado Amán. Cuando obtuvo su cargo, ordenó que todos se arrodillasen ante él, pero Mardoqueo se negaba a hacerlo. "Soy judío y los judíos sólo nos arrodillamos ante Dios", explicaba. Amán se enfadó muchísimo y decidió acabar con Mardoqueo y con todos los judíos. Acudió al Rey y le dijo que ciertas gentes de su reino estaban causando problemas, a lo que el Rey le contestó: "Haz lo que te parezca con esa gente".

Amán ordenó entonces que Mardoqueo y todo el pueblo judío fueran asesinados un día determinado. Sin embargo, Mardoqueo era el único que sabía que la reina Ester también era judía y le contó lo que Amán había mandado. "Debes ir al Rey y rogarle por la salvación de nuestras vidas", le dijo. Ester estaba muy disgustada. "Yo no puedo ir al Rey", explicó. "Tengo que esperar a que sea él quien me llame. Si me presento ante él, es posible que se enfade y ordene que me maten".

"Dios te hizo reina para que pudieras salvarnos", contestó Mardoqueo.
Ester estaba aterrorizada, pero se armó del valor necesario para
presentarse ante el Rey. Amán estaba con él y la Reina los invitó a
ambos a cenar con ella al día siguiente. Al Rey le pareció estupendo y
Amán también estaba muy contento de ir a cenar a solas con los Reyes.
Entonces, se acordó de Mardoqueo y de su negativa a arrodillarse.
Enfurecido, ordenó que lo ahorcaran a la mañana siguiente.

Esa noche el Rey no pudo dormir. Hojeando los archivos de palacio
vio el nombre de Mardoqueo y se acordó de que en una ocasión le
había salvado la vida. "Debo recompensarlo", pensó, y a la mañana
siguiente, en vez de morir ahorcado, Mardoqueo recibió vestidos
espléndidos y un caballo magnífico.

Cuando el rey Jerjes y Amán acudieron a la cena que les había
organizado Ester, ésta suplicó al Rey un favor. El Rey miró a su
bella esposa y le dijo: "Recibirás todo cuanto quieras; sólo tienes
que pedirlo". "Mi pueblo judío y yo hemos sido condenados a muerte.
Sálvanos la vida", le dijo Ester. El Rey quedó muy asombrado y le
preguntó: "¿Quién se ha atrevido a dar esa orden?". "Amán", le
contestó la Reina.

Amán se arrodilló ante Ester y le rogó que lo perdonase,
pero el rey Jerjes ordenó que lo ahorcaran. Luego,
el Rey mandó que no se asesinara al pueblo judío,
sino que lo tratasen bien y con respeto.
Ester había salvado a su pueblo.

Jonás y la ballena

Jonás era un buen hombre que solía obedecer a Dios. Un día,
Dios le ordenó que fuera a la gran ciudad asiria de Nínive y que
avisara a sus gentes de que Dios había visto su maldad y que se
proponía castigarlos.

Jonás no quería ir a Nínive, de modo que huyó al puerto
de Jafa y se embarcó para ir a Tarsis. Pensaba Jonás que,
estando Tarsis tan lejos de Nínive y en dirección contraria,
Dios no lo encontraría. Jonás se subió al barco y, en
cuanto se hizo a la mar, se desencadenó una gran
tempestad, enviada por Dios.

Los marineros, aterrorizados, pensaban que iban a morir.
Tiraron toda la carga por la borda para aligerar el peso del
barco, pues parecía que iba a hundirse, y el capitán les pidió
que rezaran a sus dioses para que los salvasen.

Jonás dormía mientras tanto en la bodega del barco, hasta que
el capitán vino y lo zarandeó. "Despierta, despierta y reza a tu
Dios por nuestras vidas", gritó entre el ruido de la tormenta. "No
puedo rezar a Dios, pues estoy huyendo de él", le contestó Jonás.

Los marineros pidieron a Jonás que les dijera cómo detener la
tormenta, a lo que Jonás respondió: "Arrojadme al mar y las aguas
se calmarán. Esta tormenta la ha enviado Dios porque he huido de
él". Los marineros intentaron remar a tierra, pero la tempestad no
hizo sino empeorar.

Al final, los
marineros decidieron
arrojar a Jonás por la
borda y la tormenta cesó
de inmediato. Todos dieron
gracias al Dios de Jonás
por salvar sus vidas.

Jonás se hundió en el mar y,
justo cuando pensaba que iba a morir
ahogado, una ballena enorme vino y se lo
tragó de un bocado. "Dios ha enviado esta ballena
para salvarme, pero está muy oscuro aquí dentro", pensó.

Vivió dentro de la ballena durante tres días. Se arrepintió de haber
desobedecido a Dios y le rogó que lo ayudara de nuevo. La ballena
nadó hasta la orilla, abrió la boca y escupió a Jonás en tierra
firme. Jonás se había salvado.

"Ahora, ve a Nínive", le ordenó Dios, y Jonás se puso en marcha
enseguida. Allí advirtió a la gente de que, si no abandonaba sus
malas costumbres, Dios destruiría la ciudad en cuarenta días.

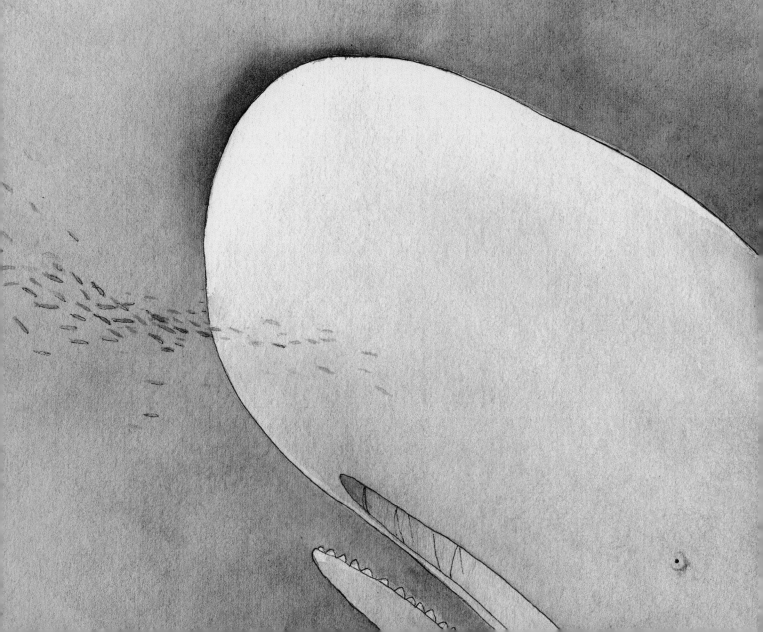

El pueblo escuchó las palabras de Jonás y el Rey ordenó que todos se arrepintiesen de lo que habían hecho y que rezaran a Dios.

Jonás se sentó a las puertas de la ciudad y esperó a que Dios la destruyese. Al ver que no era así, se enfadó muchísimo, pero Dios había visto que el pueblo había vuelto a obedecerlo y decidió salvar la ciudad. Dios le dijo: "Jonás, amo a todos y estoy en todas partes. No puedes huir de mí", y Jonás supo que era verdad.

Fin del Antiguo Testamento

Los judíos reconstruyeron el templo, las murallas y las casas de Jerusalén bajo la dirección de Esdras y Nehemías. Sin embargo, el nuevo templo no era tan espectacular como el que construyó en su día Salomón y, además, los judíos compartían ahora su tierra con otros pueblos. Los tiempos gloriosos de Israel, bajo los reinados de David y Salomón, no volverían nunca más.

Los judíos siguieron sin obedecer plenamente a Dios, a pesar de todo lo que había hecho por ellos: rescatarlos de Egipto, darles las leyes a través de Moisés y ayudarles a conquistar la tierra prometida con Josué. Incluso después de que Esdras leyera todas las leyes a los judíos, Nehemías aún encontró a muchos, entre ellos a algunos sacerdotes, que no cumplían los mandamientos de Dios.

Pasaron cuatrocientos años desde el regreso de los judíos a Jerusalén y durante todo este tiempo sucedieron muchos acontecimientos en Oriente Medio. Los griegos arrebataron el poder a los persas, y luego fueron los romanos quienes relevaron a los griegos. Dios había anunciado a los judíos que enviaría a un hombre especial para salvarlos.

Mapa de las tierras del Antiguo Testamento

Mar Mediterráneo

*Ugarit

Siria

Damasco *

*Biblos

*Dan

Israel

Río Jordán

*Sidón

*Tiro

Canaán

*Meguido

Jezrael*

*Galaad

Monte Pisga *

Jericó *

*Monte Nebo

Jerusalén *

*Belén

*Gaza

*Hebrón

Filistea

Judá

Moab

Sicelog *

Mar Muerto

*Berseba

Monte Gelboé *

Río Nilo

Sinaí

Desierto de Madián

Egipto

*Monte Sinaí

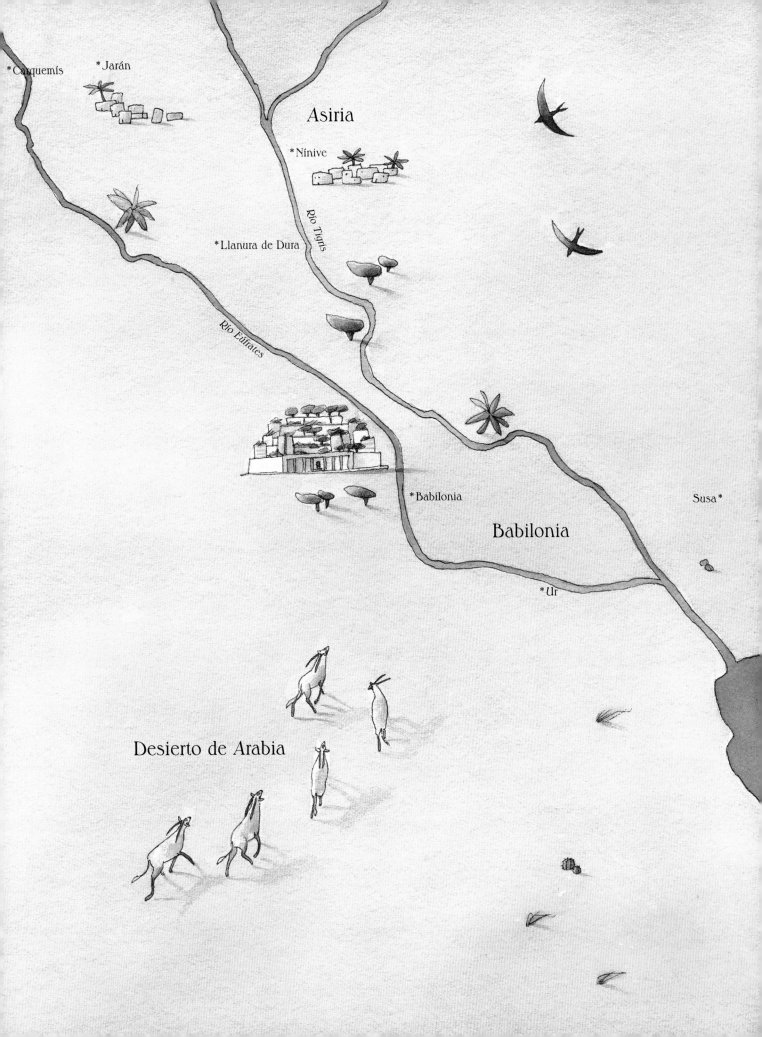

EL NUEVO TESTAMENTO

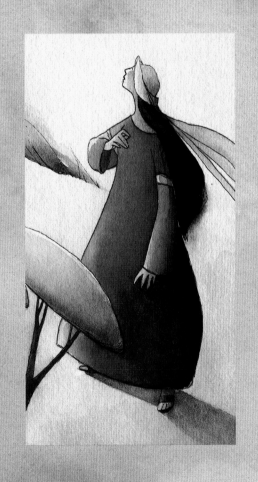

María y el ángel

En la pequeña ciudad de Nazaret, entre las montañas de Galilea, al norte de Israel, vivía una joven llamada María que pronto iba a casarse con José, un carpintero del mismo lugar. Un día, mientras María se encontraba a solas, un ángel apareció de repente frente a ella.

"No temas, María", le dijo el ángel. "Soy el ángel Gabriel y Dios me ha enviado para darte un mensaje. Darás a luz un hijo, al que llamarás Jesús. Tu hijo será Rey y su reino no tendrá fin".

Desconcertada, María le dijo: "No te comprendo. ¿Cómo voy a tener un hijo si todavía no me he casado?".

"Será obra de Dios", le contestó Gabriel. "¿Acaso no pensaban todos que tu prima Isabel no podía tener hijos? Sin embargo, pronto dará a luz. Para Dios no hay nada imposible. Tu niño será santo y será el Hijo de Dios".

María seguía sin comprender lo que le decía el ángel, pero confiaba en Dios. Bajó la cabeza y dijo: "Soy la sierva de Dios y haré lo que me ordene", pero cuando miró hacia arriba, el ángel había desaparecido.

Isabel y Zacarías

Unos días más tarde, María emprendió un largo viaje para visitar a su prima Isabel que vivía con su marido Zacarías. En cuanto llegó, María le contó a su prima la visita que había recibido del ángel, pero, para su sorpresa, Isabel ya sabía que María estaba encinta.

"¡Qué alegría que Dios te haya elegido para ser la madre de su Hijo!", le dijo Isabel, y luego le dio su propia noticia. Durante años había rezado a Dios junto a su esposo, Zacarías, pidiéndole un hijo, pero nunca lo habían tenido. Un día, estaba Zacarías, que era sacerdote, en una ceremonia del templo y le tocó quemar incienso en el altar. Mientras estaba solo, se le apareció un ángel y Zacarías se asustó mucho.

"No temas, Zacarías", dijo el ángel. "Dios ha escuchado tus súplicas y me ha enviado a decirte que tú y tu esposa tendréis un hijo, a quien llamaréis Juan. Este niño os hará muy felices. Dios lo ha elegido para que anuncie al pueblo que el Rey va a venir y lo ayude a prepararse para su llegada.

"No es posible", contestó Zacarías. "Mi mujer y yo somos demasiado viejos para tener hijos".

"Soy Gabriel y Dios me ha enviado para darte esta buena noticia. Ya que no me crees, quedarás mudo y no hablarás de nuevo hasta que la promesa de Dios se cumpla".

Cuando terminó la ceremonia del templo, Zacarías fue a su casa. Como no podía hablar, escribió en una tablilla lo que le había sucedido y por qué estaba mudo. Isabel se quedó muy preocupada por su marido y se encerró en la casa.

"Dios ha cumplido su promesa", le dijo Isabel a María. "En cuatro meses daré a luz". María se quedó en casa de Isabel y Zacarías tres meses y luego regresó a Nazaret.

Isabel tuvo a su hijo y, aunque todos querían llamarlo Zacarías, como a su padre, ella insistió en que su nombre era Juan. "No hay nadie en nuestra familia que lleve ese nombre", le decían.

Entonces, Zacarías tomó una tablilla y escribió: "Juan es su nombre". En ese preciso momento, Zacarías recobró el habla y dio gracias a Dios en voz alta por el nacimiento de su hijito.

El nacimiento de Jesús

María regresó a Nazaret, donde la esperaba su prometido, José. Aunque José era un buen hombre, le preocupaba lo que le habían contado –que María estaba encinta– y pensaba que quizá no debieran casarse.

Sin embargo, una noche José tuvo un sueño en el que un ángel le decía que María no había hecho nada malo y que debía casarse con ella. El niño era el Hijo de Dios y debía llamarlo Jesús, porque salvaría a los hombres del castigo de Dios por todo lo malo que habían hecho.

A la mañana siguiente, José aún recordaba lo que el ángel le había dicho en sueños. Luego lo organizó todo para la boda y, al poco tiempo, se casó con María. José prometió que siempre cuidaría de María y de su hijo.

Los esposos vivían felices en Nazaret a la espera del nacimiento del hijo de María, pero al cabo de unos meses, el emperador romano Augusto, que gobernaba en Israel, ordenó por ley que todos los habitantes del país acudieran a la población de donde procedía su familia para empadronarse, de modo que pudieran pagar impuestos. La familia de José descendía del rey David, que nació en Belén, de modo que José tuvo que viajar a esta ciudad.

José hizo el equipaje, con alimento, agua, abrigos y ropa para el bebé, y lo cargó en su burro. Cuando todo estuvo listo, María y José emprendieron un viaje de varios días a través de las montañas de Galilea hasta Belén. Llegaron a la ciudad ya de noche y María, que estaba muy cansada, sabía que pronto daría a luz.

Las calles estaban repletas de gente que había venido a empadronarse. José buscó habitación para pasar la noche, pero todas las posadas donde preguntaba estaban ya llenas. José recorrió toda la ciudad en medio del frío y la oscuridad tirando del burro a lomos del que iba María.

Cuando llegaron a la última posada, el dueño les dijo que no le quedaban habitaciones, pero que había un establo allí cerca donde podían pasar la noche.

José llevó el burro al establo, ayudó a María a bajar y descargó el equipaje. Luego puso paja limpia en el suelo para que María se acostase en ella y la cubrió con su manto. María comió un poco y se acostó, agradecida por poder descansar al fin.

Esa misma noche, María dio a luz a su hijo. Lo lavó y lo envolvió en la ropa que había traído. José preparó una cuna para el niño en un pesebre con un poco de paja limpia. María acostó al niño y le puso el nombre de Jesús, como le había ordenado el ángel, pues sabía que era el Hijo de Dios.

En los montes cercanos a Belén, había sentados alrededor de una hoguera unos pastores que velaban sus rebaños para que las bestias salvajes no los devorasen por la noche. De repente, vieron un resplandor en el cielo que se hacía cada vez más luminoso, hasta que apareció un ángel. Los pastores se quedaron mirando muertos de miedo.

"No temáis", les dijo el ángel, "pues os traigo gratas noticias
para todo el pueblo. Esta noche ha nacido el Hijo de Dios. Lo
encontraréis en Belén, acostado en un pesebre". Mientras los
pastores contemplaban la escena llegaron más ángeles que
alababan a Dios cantando: "¡Gloria a Dios en las alturas y
en la tierra paz a los hombres de buena voluntad!". La luz
se fue apagando, los ángeles desaparecieron y volvió
la oscuridad de la noche.

Cuando se recuperaron de la sorpresa, los pastores se
preguntaron qué debían hacer. "Debemos ir a Belén y
buscar a este niño de quien nos han hablado", dijo uno.
Los otros estuvieron de acuerdo, de modo que recogieron
sus cosas y se marcharon corriendo monte abajo en dirección
a Belén sin guardar siquiera sus rebaños.

Encontraron el establo enseguida y entraron en silencio. Al ver al
niño, se arrodillaron ante el pesebre y les contaron a José y María
lo que el ángel les había dicho.

Al cabo de un rato, los pastores se levantaron y salieron del establo.
Entonces, recorrieron las calles de Belén anunciando a todo el pueblo
que el Hijo de Dios había nacido esa noche. Por la mañana, toda
la ciudad sabía que había nacido Jesús. Los pastores regresaron
luego a sus rebaños, maravillados y alabando a Dios.

En la penumbra del establo, María contemplaba al niño, pensando
en lo que el ángel había contado a los pastores y preguntándose
qué significaría todo aquello.

111

La estrella de Oriente

En un país muy lejano de Oriente vivían tres sabios
que estudiaban las estrellas. Una noche, vieron
una estrella mucho mayor que las demás
y comprendieron que algo especial
había ocurrido. Tras consultar sus
libros, decidieron que era una señal
que anunciaba el nacimiento de
un nuevo rey y que debían ir
en su busca.

Hicieron los preparativos para
un largo viaje y emprendieron
el camino cargados de regalos
para el nuevo rey. Todas las
noches seguían la estrella
que avanzaba en el
cielo indicándoles
el camino.

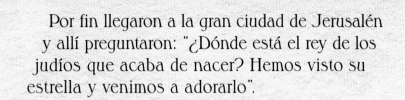

Por fin llegaron a la gran ciudad de Jerusalén y allí preguntaron: "¿Dónde está el rey de los judíos que acaba de nacer? Hemos visto su estrella y venimos a adorarlo".

Cuando el rey Herodes oyó que estos extranjeros buscaban a un rey niño se asustó muchísimo. Los gobernantes romanos de Israel lo habían nombrado rey de los judíos y temía que un nuevo soberano le arrebatara el trono. Entonces convocó a todos los sacerdotes y maestros del lugar y les preguntó dónde había nacido este niño.

Tras mucho rebuscar en escritos y archivos antiguos, le dijeron al rey Herodes que, hacía muchísimos años, se había profetizado que el rey de los judíos nacería un día en Belén.

Entonces, el rey Herodes se reunió en secreto con los tres sabios y les dijo que debían ir a Belén. "Cuando encontréis al niño, avisadme para yo también pueda ir a adorarlo", les dijo. A los sabios les pareció bien y tomaron el camino a Belén. La estrella seguía avanzando delante de ellos y luego pareció detenerse sobre la ciudad. Los sabios se alegraron al ver que habían llegado a su destino.

Encontraron enseguida a María y a José y, en cuanto vieron al niño, se arrodillaron ante él y entregaron a María los regalos que habían traído: oro, incienso de aroma dulce y un ungüento especial llamado mirra. A continuación, se pusieron de pie en silencio y salieron del establo.

En el camino de regreso a Jerusalén, donde les esperaba el rey Herodes, los sabios acamparon para pasar la noche. Mientras dormían, un ángel les advirtió en sueños que volvieran a su país por otro camino, sin pasar por Jerusalén.

Una noche, José también tuvo un sueño en el que un ángel le advertía que Jesús se encontraba en peligro y le ordenaba que se marchase a Egipto con María y el niño, donde estarían a salvo. "Salid ahora mismo", dijo el ángel. "Quedaos en Egipto hasta que te avise de que el peligro ha pasado". José despertó a María, recogieron rápidamente sus cosas y las cargaron en el burro. Con Jesús en brazos, comenzaron el largo camino a través del desierto siendo aún de madrugada.

Herodes esperó en Jerusalén a los tres sabios, pero cuando se dio cuenta de que no volverían, montó en cólera. Ordenó a sus soldados que fueran a Belén y mataran a todos los niños menores de dos años. Así se aseguraría de que Jesús, el rey de los judíos, también moriría. Los soldados cumplieron las terribles órdenes de Herodes. Desde entonces, el pueblo, que siempre había detestado a este rey cruel nombrado por los romanos, lo odió aún más.

José, María y Jesús vivieron a salvo en Egipto. Al cabo de un tiempo, José tuvo otro sueño en el que un ángel le contaba que el rey Herodes había muerto y que ya podían regresar a su tierra, pues estarían a salvo. Tras un largo viaje, María, José y el niño llegaron a Nazaret y se establecieron de nuevo en su casa.

Jesús en el templo

Todos los años, José y María iban a Jerusalén a celebrar la Pascua en compañía de muchos otros judíos. Esta fiesta les recordaba el momento en que, hacía muchísimos años y con la ayuda de Dios, Moisés había liberado al pueblo hebreo de la esclavitud en Egipto y lo había conducido a la tierra que Dios le había prometido.

Cuando Jesús tenía doce años, acompañó a sus padres a celebrar la Pascua como siempre. Terminada la fiesta, María y José emprendieron el camino de regreso a Nazaret junto a otros amigos. Pensaban que Jesús iba con los demás niños y hasta la tarde no se dieron cuenta de que no estaba. Preguntaron a todo el mundo, pero nadie lo había visto.

A la mañana siguiente, muy temprano, José y María regresaron a toda prisa a Jerusalén, llenos de preocupación. Pasaron tres días buscándolo por todas las calles, hasta que al fin lo encontraron en el templo, sentado en medio de los maestros, escuchándolos y haciéndoles preguntas. Los maestros del templo estaban sorprendidos de que, con sólo doce años, Jesús comprendiera tanto de lo que le contaban y les planteara preguntas tan difíciles. José y María se quedaron perplejos al encontrarlo allí.

"¿Por qué nos has hecho esto?", preguntó María a Jesús. "Nos tenías tan preocupados. Hemos buscado por todas partes y pensábamos que jamás te encontraríamos". Jesús miró a su madre y le dijo: "No pretendía causaros problemas. Pero, ¿no sabíais que estaría aquí, en la casa de mi Padre?".

Jesús regresó a Jerusalén con José y María, aunque ésta recordaría lo que sucedió en Jerusalén durante mucho tiempo. Jesús siguió creciendo hasta convertirse en un joven fuerte y sabio que amaba y obedecía a sus padres y a Dios.

El bautismo de Jesús

Jesús siguió viviendo en Nazaret, junto a María y
José, hasta los treinta años. A esa edad, se marchó
al río Jordán, donde su primo Juan, el hijo de Isabel
y Zacarías, predicaba al pueblo sobre Dios. Muchas personas
acudían a escuchar a Juan, que les decía que debían obedecer
a Dios y prepararse para la llegada de su Rey.

Cuando le preguntaban qué tenían que hacer, Juan les respondía
que debían compartir su alimento con los que tuvieran hambre y
dar la ropa que les sobrase a quienes no tuvieran con qué taparse;
también les dijo que los recaudadores de impuestos no debían
exigir más de lo justo.

Juan guió a la gente que quería llevar una vida mejor río abajo. Allí
bautizó con agua a quienes lo siguieron, como símbolo de que se
lavaban todos sus pecados para comenzar una vida nueva. "Yo os
bautizo con agua, pero el que viene es mucho más grande que yo,
pues no soy digno de desatar las correas de sus sandalias. Él os
bautizará con el Espíritu Santo".

Jesús fue a Juan para pedirle que lo bautizara y éste le dijo: "Soy
yo el que necesito que me bautices, ¿y tú vienes a mí?". Pero Jesús
le respondió: "Cumplamos lo que Dios quiere". Después de rezar,
Jesús se metió en el río. Juan le echó agua por encima en señal
de limpieza y, justo cuando Jesús salía del Jordán, el Espíritu
Santo vino en forma de paloma blanca y se quedó volando sobre
su cabeza. Entonces, escuchó la voz de Dios, que le dijo: "Éste es
mi Hijo amado, en quien me complazco".

Jesús y sus discípulos

Jesús fue a Cafarnaúm, una ciudad cercana
al lago Galilea, donde predicó al pueblo
sobre Dios y curó a los enfermos.
La fama de sus enseñanzas se
extendió rápidamente y, allá
donde iba, la gente se
aglomeraba a su alrededor
para escucharle hablar.

Un día, Jesús caminaba
por la orilla del lago
y, como era habitual,
empezó a acudir
mucha gente a
escucharlo. En la orilla
había una barca de dos
hermanos pescadores,
Pedro y Andrés. Jesús
se subió a la barca y les dijo:
"Echad la barca al agua y remad lago adentro para que pueda hablar
al pueblo". Los dos hombres hicieron lo que les pidió.

Después de su discurso, Jesús dijo a Pedro y a Andrés que remaran
alejándose un poco más de la orilla y que echaran sus redes al agua.
"No servirá de nada. Hemos estado faenando toda la noche y no
hemos pescado nada", le contestó Pedro, "pero haremos como nos
dices". Luego, cuando los hermanos sacaron las redes, estaban tan
llenas de peces que casi se rompieron.

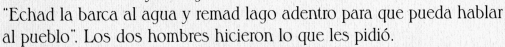

Pedro y Andrés llamaron a otros dos pescadores, Santiago y Juan,
que también faenaban en el lago. "Venid a ayudarnos", les dijeron.
Santiago y Juan les ayudaron a sacar las redes y juntos llenaron
las dos barcas.

Cuando los cuatro hombres vieron cuánto habían pescado,
se asustaron muchísimo y se pusieron de rodillas ante Jesús.
"No temáis", les dijo Jesús. "Venid conmigo y os convertiré
en pescadores de hombres".

Pedro, Andrés, Santiago y Juan remaron y llevaron sus barcas
a la orilla, donde descargaron el pescado. Luego abandonaron sus
barcas y acompañaron a Jesús en sus viajes por los pueblos y
ciudades de alrededor del lago Galilea.

Un día, Jesús vio a un hombre que trabajaba recaudando impuestos para los romanos. Era un hombre rico llamado Mateo. El pueblo judío odiaba a los gobernantes romanos, pero aborrecían aún más a los recaudadores de impuestos, ya que a menudo exigían más de lo debido y se hacían ricos a su costa. Jesús miró a Mateo y le dijo: "Ven conmigo". Mateo se levantó y, sin decir palabra, siguió a Jesús y a sus discípulos.

Mateo organizó un banquete en su casa e invitó a Jesús y a muchas otras personas, entre las que había otros recaudadores de impuestos. Unos judíos religiosos que vieron a Jesús en aquella casa preguntaron a sus amigos por qué un hombre como él se sentaba a comer con gente tan malvada. Jesús oyó la pregunta y respondió: "No necesitan médicos los sanos, sino los enfermos. He venido a pedir a la gente mala que cambie sus costumbres. Los buenos no me necesitan".

Un anochecer, Jesús subió a un monte y se quedó allí toda la noche rezando a Dios. Por la mañana, bajó y eligió a doce discípulos para que lo ayudaran en su labor. Además de Pedro, Andrés, Santiago, Juan y Mateo, escogió a Felipe y Bartolomé, Tomás, otro Santiago, Simón, Judas y Judas Iscariote. Estos doce hombres se hicieron muy amigos y grandes seguidores de Jesús. Lo acompañaban a todas partes, escuchaban sus enseñanzas y contemplaban todas las cosas prodigiosas que hacía. Jesús les contó la misión que Dios le había encomendado.

Una boda en Caná

Cuando Jesús estaba en Galilea, fue invitado a una boda en la ciudad de Caná junto a varios amigos y a su madre, María. Mucho antes de que terminara el banquete, el vino se acabó. María acudió a Jesús y le contó lo que ocurría. Luego fue a los criados y les dijo: "Haced lo que él os diga".

Había seis grandes tinajas cerca de la entrada para que los invitados se lavaran antes de comer, como exigía la ley judía. Las tinajas estaban vacías.

Jesús ordenó a los criados: "Llenad las tinajas de agua", y los criados las llenaron inmediatamente. Entonces les dijo: "Sacad un poco de agua y llevádsela al encargado del banquete". Los criados le llevaron el agua para que la probara, pero el encargado, al beberla, comprobó que era vino. No sabía que venía de las tinajas de agua.

El encargado le dijo al novio: "Todo el mundo sirve al principio el vino de mejor calidad, y cuando los invitados ya han bebido bastante, se saca el más corriente. Tú, en cambio, has reservado el mejor vino para ahora".

Éste fue el primero de los grandes prodigios que realizó Jesús, que reforzaron la creencia de sus discípulos al presenciarlos y al escuchar las palabras de Jesús.

El sermón de la montaña

Allá donde Jesús iba con sus discípulos, la gente se congregaba a su alrededor para oírlo hablar. Los sábados, hablaba al pueblo en las sinagogas, pero los demás días, predicaba al aire libre, ya que no solía llover y el clima era caluroso.

Un día, Jesús subió a un monte y la gente se sentó en el suelo para verlo y escucharlo. Jesús dijo que aquellos que tenían hambre de conocer a Dios serían saciados y que deberían sentirse satisfechos de lo que tenían y no preocuparse de la comida, la ropa o el dinero.

"Creéis que los ricos son felices porque tienen todo lo que quieren, pero os equivocáis. Sólo los que amen a Dios lo tendrán todo. Vosotros los pobres seréis ricos en el Cielo; los que estéis tristes, seréis felices en el reino de Dios; los que habéis sido odiados y despreciados por ser mis amigos, tendréis una gran recompensa en el Cielo", les dijo.

"No os esforcéis en ahorrar mucho dinero; sólo conseguiréis que alguien venga y os lo robe. Todo lo que acumuléis acabará por oxidarse o pudrirse. Guardad vuestros tesoros con Dios, donde nadie podrá robarlos. No podéis pasar la vida intentando haceros ricos y obedecer a Dios a la vez. Sólo se puede hacer una cosa o la otra".

"Fijaos en las aves", les dijo. "Ni cultivan ni guardan alimento alguno; sin embargo, Dios las cuida como también os cuidará a vosotros. Fijaos en las flores del campo. No tejen sus ropas, pero ni el mismo rey Salomón lucía vestidos más bonitos que los que llevan ellas. No andéis preocupados por el futuro y por lo que pudiera o no pudiera suceder. Confiad en Dios y él os dará lo que necesitáis".

"Ya tenéis las leyes de Dios y no he venido a cambiarlas. La ley dice que no debéis matar a nadie, pero yo os digo que tener pensamientos asesinos es tan malo como matar. Puede que queráis vengaros por algo malo que os hayan hecho, que queráis responder del mismo modo que os trataron, pero Dios quiere que améis a vuestros enemigos y que correspondáis la maldad con bondad. No es fácil seguir el camino de Dios, pero debéis emprender el viaje".

"No ocultéis vuestras buenas cualidades; dejad que alumbren vuestras vidas. Sois como lámparas, y una lámpara no se enciende para taparla con una vasija, sino que se pone sobre un candelero para que alumbre una casa oscura. Cuando la gente vea todo lo bueno que hacéis, darán las gracias a Dios".

"No es difícil querer a la familia y a los amigos, pero debéis amar a todo el mundo, incluso a los que os odian y quieren haceros daño. Cuando hagáis el bien a alguien, no vayáis pregonándolo; hacedlo en secreto, pues Dios lo verá y os recompensará.

"Cuando recéis a Dios, no hagáis un espectáculo escandaloso. Orad en silencio y a solas. Hablad a Dios como hablaríais con un padre que os ama. No os alarguéis demasiado ni uséis palabras sin sentido. Dios os escucha y sabe lo que necesitáis".

"Cuando recéis a Dios, habladle sasí:

Padre Nuestro, que estás en el Cielo,
santificado sea tu nombre,
Venga a nosotros tu reino,
Hágase tu voluntad en la tierra como en el Cielo,
Danos hoy nuestro pan de cada día,
Perdona nuestras ofensas como también nosotros perdonamos
a los que nos ofenden,
No nos dejes caer en la tentación
y líbranos del mal".

Luego, Jesús continuó: "Todo el que escucha mis palabras y las pone en práctica es como aquel hombre que construye su casa sobre roca. Si llueve, vendrán los vientos y los torrentes, pero su casa no se derrumbará. Sin embargo, todo el que escucha estas palabras y no las pone en práctica es como aquel hombre que levanta su casa sobre arena. Al llover, soplarán los vientos y su casa se la llevará la corriente, porque está construida sobre arena, y no sobre roca".

El paralítico curado

La fama de Jesús se extendió rápidamente por todas partes y, allá donde iba con sus doce discípulos, la gente acudía desde todos los rincones del país y desde la gran ciudad de Jerusalén para escuchar sus enseñanzas y curarse de toda clase de enfermedades.

Un día, estando de regreso en Cafernaún, Jesús se sentó en una casa donde había tanta gente que la puerta estaba bloqueada y no se podía entrar ni salir. Cuatro amigos llevaron a un paralítico en camilla hasta la casa y, al ver que no podían pasar por la puerta, lo subieron a la azotea de la casa, lo bajaron por un agujero en el techo con ayuda de unas cuerdas y lo pusieron en la habitación donde estaba Jesús.

Jesús miró a los cuatro amigos asomados al agujero y, al ver la gran fe que en él tenían, le dijo al hombre de la camilla: "Hijo mío, tus pecados quedan perdonados".

Los maestros judíos que estaban presentes empezaron a murmurar entre ellos. Jesús no tenía derecho a perdonar pecados; eso sólo lo podía hacer Dios. Jesús escuchó lo que decían y les preguntó: "¿Qué creéis que es más fácil: perdonar los pecados de un hombre o hacer que éste ande de nuevo? Vais a ver que tengo poder para perdonar los pecados".

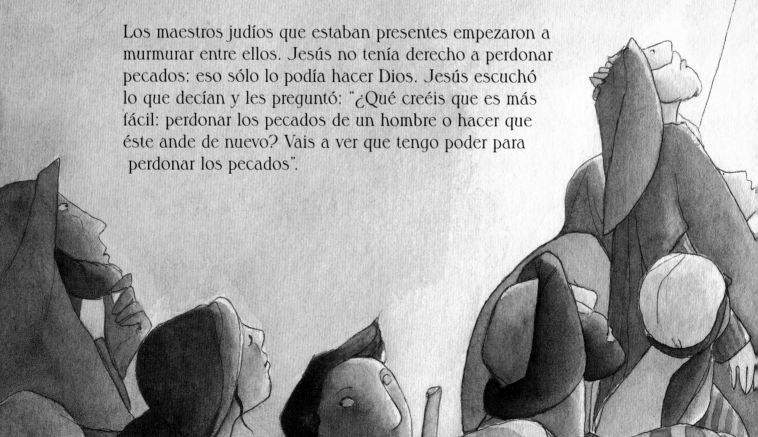

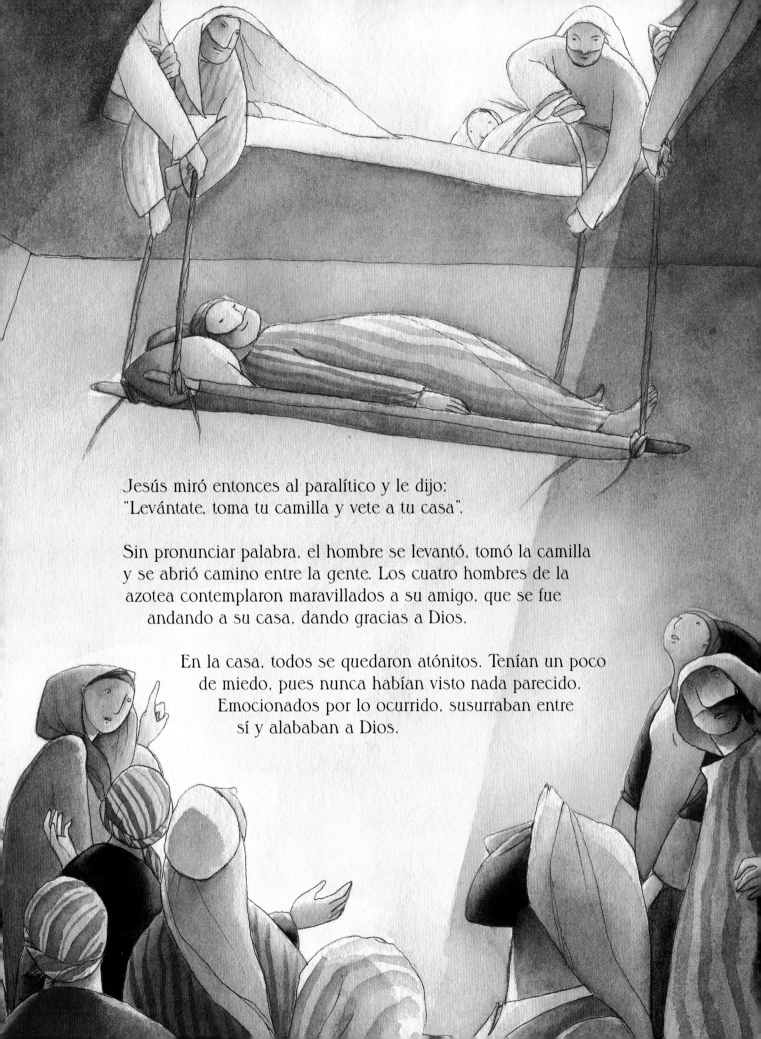

Jesús miró entonces al paralítico y le dijo:
"Levántate, toma tu camilla y vete a tu casa".

Sin pronunciar palabra, el hombre se levantó, tomó la camilla
y se abrió camino entre la gente. Los cuatro hombres de la
azotea contemplaron maravillados a su amigo, que se fue
andando a su casa, dando gracias a Dios.

En la casa, todos se quedaron atónitos. Tenían un poco
de miedo, pues nunca habían visto nada parecido.
Emocionados por lo ocurrido, susurraban entre
sí y alababan a Dios.

El criado del centurión

Jesús y sus discípulos viajaron por todo el país hablando al pueblo. Cuando regresaron a la ciudad de Cafernaún, varios ancianos judíos fueron a su encuentro enviados por un guerrero romano, un centurión. El centurión rogaba a Jesús que fuera a curar a un criado suyo muy apreciado que estaba gravemente enfermo. "Este centurión es un buen hombre que nos ha tratado bien y nos ha construido una sinagoga".

Jesús los acompañó a la casa del centurión, pero antes de llegar, el romano vino a su encuentro. "Señor, no te molestes. No soy digno de presentarme ante ti ni de que entres en mi casa. Soy un hombre con autoridad, acostumbrado a dar órdenes a mis soldados y a que me obedezcan. Sé que basta una palabra tuya para que mi criado quede curado".

Jesús quedó admirado y, volviéndose a la gente que lo seguía, dijo: "Fijaos en este hombre. No he encontrado en todo Israel una fe tan grande". Luego le dijo al centurión: "Vuelve junto a tu criado. Gracias a tu fe, está curado". Cuando el centurión y los ancianos judíos regresaron a la casa, encontraron al criado completamente sano.

La tempestad del lago

Una tarde, Jesús pidió a varios de sus discípulos que lo llevasen en una barca a la otra orilla del lago Galilea. Llevaba todo el día hablando al pueblo y curando enfermos y estaba muy cansado. En cuanto la barca empezó a navegar, Jesús se tumbó y se quedó dormido.

El lago estaba tranquilo, pues tan sólo soplaba una brisa ligera. Los discípulos izaron la vela y la barca avanzaba por de las aguas tranquilas. Pero, de repente, cuando ya estaban muy lejos de la orilla, se empezó a levantar un viento fuerte y luego se desató una tormenta. Las olas cada vez eran más altas y la barca empezó a hacer agua.

Los discípulos se asustaron muchísimo. Algunos habían sido pescadores, por lo que sabían lo peligrosas que podían ser las tormentas en el lago y temían que la barca se hundiese. A pesar del ruido de la tempestad y el vaivén de la barca entre las olas, Jesús no se despertaba.

Uno de los discípulos no pudo aguantar más y despertó a Jesús de su sueño. "Maestro, sálvanos", gritó. "¿No ves que vamos a ahogarnos?".

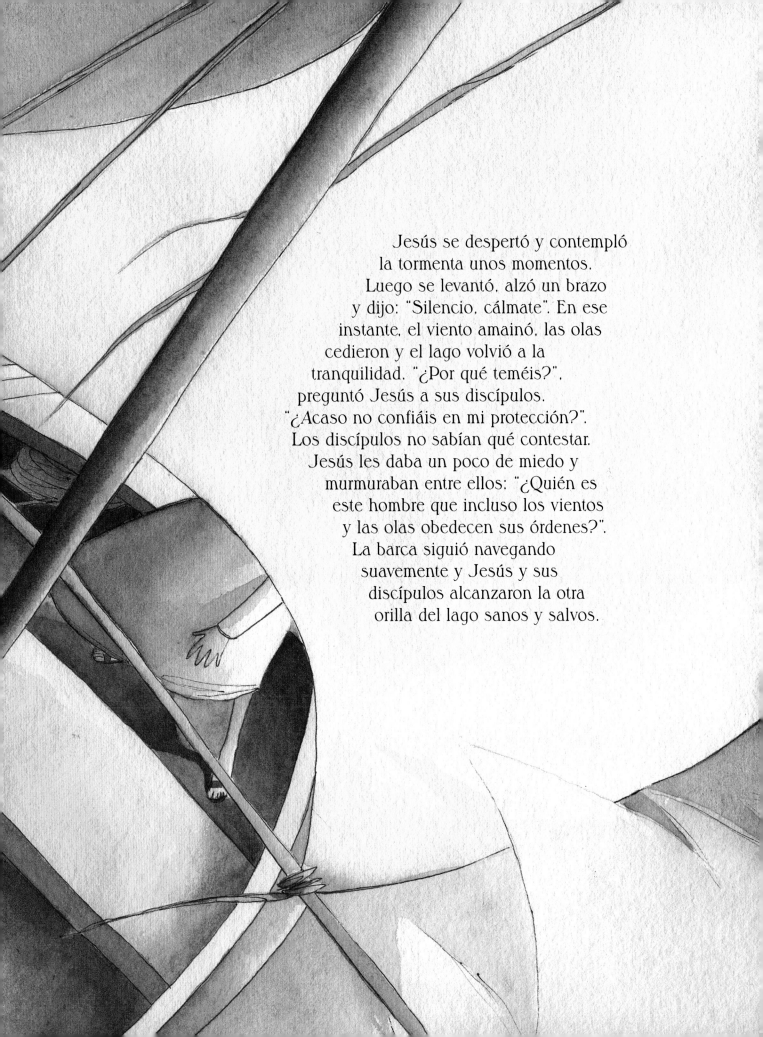

Jesús se despertó y contempló
la tormenta unos momentos.
Luego se levantó, alzó un brazo
y dijo: "Silencio, cálmate". En ese
instante, el viento amainó, las olas
cedieron y el lago volvió a la
tranquilidad. "¿Por qué teméis?",
preguntó Jesús a sus discípulos.
"¿Acaso no confiáis en mi protección?".
Los discípulos no sabían qué contestar.
Jesús les daba un poco de miedo y
murmuraban entre ellos: "¿Quién es
este hombre que incluso los vientos
y las olas obedecen sus órdenes?".
La barca siguió navegando
suavemente y Jesús y sus
discípulos alcanzaron la otra
orilla del lago sanos y salvos.

La muerte de Juan

Mientras Jesús impartía sus enseñanzas en los pueblos y ciudades del lago Galilea, su primo Juan, a quien llamaban "el Bautista", predicaba al pueblo sobre Dios y bautizaba a la gente. También criticó al rey Herodes Antipas, pues se había casado con Herodías, la mujer de su hermano, y Juan le había dicho que aquello estaba mal.

El rey Herodes mandó detener a Juan y meterlo en la cárcel. La reina Herodías quería que lo matase, pero Herodes sabía que Juan era un hombre santo y bondadoso y le daba miedo ejecutarlo.

Un día, para celebrar su cumpleaños, Herodes dio un gran banquete al que asistieron sus gobernantes, capitanes y otras personalidades. Salomé, la joven y bella hija de Herodías, bailó para entretener a los comensales. El Rey quedó tan complacido con su actuación que le dijo: "Pídeme lo que quieras; te daré incluso la mitad de mi reino".

La reina Herodías encontró por fin la oportunidad que buscaba y susurró a su hija: "Dile que te traigan en una bandeja la cabeza de Juan el Bautista". La joven pidió entonces al Rey lo que le había aconsejado su madre.

Herodes se llenó de tristeza, pues no quería matar a Juan, pero por no romper la promesa que había hecho ante los asistentes, ordenó a sus guardias que fueran a la cárcel y le cortaran la cabeza a Juan. Trajeron la cabeza en una bandeja y se la dieron a la muchacha, quien a su vez la llevó a su madre. Cuando los amigos de Juan se enteraron, fueron a recoger su cadáver y lo enterraron. Luego fueron a dar la mala noticia a Jesús, quien sintió muchísimo la muerte de su primo.

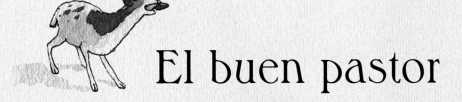

El buen pastor

Cuando Jesús hablaba a la gente, solía contar historias para explicar mejor el significado de lo que quería enseñar. Jesús decía a los hombres, las mujeres y los niños que acudían a escuchar sus palabras: "Quien tenga oídos para oír, que oiga".

Un día, Jesús contó una historia nueva: "Si un pastor tiene un rebaño de cien ovejas y una se le pierde, ¿qué hace?", preguntó a la gente antes de proseguir: "Deja a las noventa y nueve ovejas en un lugar a salvo de las bestias salvajes y va a buscar a la oveja descarriada".

"El pastor se pone a buscar por todas partes a esa oveja descarriada, atento a sus balidos. No importa el tiempo que le lleve; no se da por vencido hasta que la encuentra. Entonces, la carga en los hombros y la lleva a casa, contento de traerla a salvo junto al resto del rebaño. Luego llama a su familia y a sus amigos para que vengan a celebrar que ha encontrado la oveja descarriada".

"Hay más alegría en el Cielo", continuó Jesús, "cuando alguien que ha desobedecido a Dios y ha llevado una mala vida se arrepiente de lo que ha hecho y regresa a la vida que Dios quiere".

"Yo soy como el buen pastor", Jesús dijo a los presentes. "Cuido de mi pueblo como si fuera mi rebaño. No huyo nunca ni lo dejo a merced de los lobos para que lo maten y se lo coman. Mis ovejas conocen mi voz y me siguen; yo las guío y las protejo y estoy dispuesto a morir por ellas".

La hija de Jairo

Un día, mientras Jesús caminaba con sus discípulos por un pueblo, Jairo, jefe de la sinagoga, salió a su encuentro y se arrodilló a sus pies. "Mi hijita está muy enferma; se está muriendo. Te ruego que vengas a mi casa y pongas tus manos sobre ella para que se cure", le dijo.

Cuando Jesús seguía a Jairo camino de la casa, una mujer se abrió paso entre la multitud que se agrupaba a su alrededor, deseosa de acercarse. Llevaba doce años enferma y ningún médico había podido curarla. La mujer había oído hablar de Jesús y pensaba: "Si tan sólo pudiera rozar sus ropas, seguro que me curaría". Entonces, cuando estuvo lo suficientemente cerca, extendió la mano y tocó su túnica. En ese instante quedó curada. Jesús miró a su alrededor y preguntó: "¿Quién me ha tocado?", pues sabía que había curado a alguien.

La mujer tenía mucho miedo y se acercó temblando. Cuando llegó a Jesús, se arrodilló y le dijo que al tocarlo se había curado de su enfermedad. Jesús la miró y le dijo: "Tu fe te ha salvado, vete en paz".

Siguieron caminando hacia la casa de Jairo, pero antes de llegar, una mujer les salió al paso y, llorando, le dijo a Jairo: "Es demasiado tarde, nuestra niña ha muerto. No pidas a Jesús que venga".

"No está muerta; está dormida", les dijo Jesús, y siguió hasta la casa con tres de sus discípulos, Pedro, Santiago y Juan. Jesús pidió que todos, excepto el padre y la madre de la niña, salieran de la casa. Entonces, entró en la habitación, tomó su mano delicadamente y le dijo: "Niña, levántate".

La niña abrió los ojos en ese instante y se levantó de la cama. Sus padres estaban atónitos y felices de ver a su hijita sana de nuevo. "Ahora, dadle de comer, pero no contéis a nadie lo que ha sucedido", les dijo Jesús antes de marcharse discretamente en compañía de sus tres discípulos.

El sembrador

Un día, mientras Jesús hablaba a la gente a orillas del lago Galilea, se reunió tal multitud a su alrededor que echó una barca al agua y se sentó en ella. La gente se colocó en la orilla para escuchar y Jesús contó esta historia.

"Salió un labrador a sembrar el trigo en su campo. Mientras iba andando, esparcía las semillas por la tierra, pero algunas cayeron a un camino y las aves se las comieron enseguida. Esto es como aquellos que oyen la palabra de Dios, pero no comprenden su mensaje. El diablo les hará olvidar enseguida lo que han oído.

"Otras semillas cayeron en terreno pedregoso, el trigo creció demasiado rápido porque no había echado buenas raíces y se secó bajo el sol. Esto es como aquellos que aceptan con gusto la palabra de Dios, pero no piensan más en ella. Cuando se enfrentan a problemas o dificultades, enseguida abandonan su fe".

"Otras semillas cayeron entre cardos y hierbajos que crecieron a su alrededor y las sofocaron. Esto es como aquellos a los que asfixian las preocupaciones, aquellos que aman el dinero y el placer y olvidan la palabra de Dios".

"Algunas semillas cayeron en tierra fértil y aquí el trigo creció mucho y dio una buena cosecha. Esto es como el pueblo que escucha y comprende el mensaje de Dios. El modo en que estas personas viven su vida demuestra que aman y obedecen a Dios. Hacen el bien y serán recompensados.

El criado cruel

Pedro, uno de los discípulos, preguntó a Jesús: "Señor, ¿cuántas veces he de perdonar a alguien que me ha ofendido? ¿Siete, quizá?".

"No siete veces, sino setenta veces siete", contestó Jesús y, para explicar lo que quería decir con esto, contó a sus discípulos la siguiente historia:

"Había una vez un rey muy bueno con sus criados, a quienes prestaba dinero siempre que lo necesitaban. Un día, descubrió que uno de ellos le debía ya mucho dinero y mandó llamarlo. Como el criado no podía devolver el dinero, ordenó que le quitaran todas sus posesiones y que lo vendieran como esclavo junto al resto de su familia".

"El criado se arrodilló a los pies del rey y le suplicó: "Señor, te ruego tengas paciencia conmigo y te pagaré todo lo que te debo". El rey sintió lástima del hombre y le dejó marchar perdonándole su deuda".

"Luego, ese mismo criado descubrió que un compañero no podía devolverle un poco de dinero que le había prestado. Agarró al deudor por el cuello y le dijo: "Págame lo que me debes ya". El hombre se arrodilló y le rogó que le diera algo de tiempo para devolvérselo".

"El criado no tuvo compasión y mandó a su compañero a la cárcel hasta que pudiera saldar la deuda. Los demás criados de la corte se disgustaron mucho y fueron a contárselo al rey".

"El rey mandó llamar al criado cruel. "Eres un hombre malvado", le dijo. "Cuando me suplicaste clemencia y tiempo para pagarme, te perdoné la gran deuda que tenías conmigo, pero cuando mi otro criado no pudo pagarte lo poco que te debía, no tuviste compasión y lo mandaste a la cárcel". Entonces, el rey ordenó que encarcelaran al criado cruel hasta que pudiese pagarle todo lo que le debía".

"Así es como mi Padre celestial os tratará a cada uno de vosotros a menos que perdonéis de corazón a todo aquel que os ofenda".

La multiplicación de los panes

Un día que Jesús estaba muy cansado, después de pasar toda la jornada hablando a la gente y curando enfermos, quiso buscar un lugar apartado y tranquilo donde estar un rato a solas. Subió a una barca en compañía de sus discípulos y atravesó el lago Galilea hasta llegar a una playa desierta. Dejaron la barca en la arena y subieron a un monte a descansar.

Aunque estaban solos, la gente había visto hacia donde se dirigían y la noticia de que Jesús estaba en la zona se extendió rápidamente. Una multitud empezó a llegar de los pueblos y las ciudades de los alrededores para verlo y rogarle que curara sus enfermedades.

Los discípulos querían ahuyentar a la gente, pero Jesús sintió lástima y estuvo caminando entre los que allí se congregaron, hablándoles, contestando a sus preguntas y curando a los enfermos. Fueron llegando más y más personas hasta contarse por miles.

Al atardecer, un discípulo le dijo a Jesús: "Es hora de que esta gente se vaya. Diles que se vayan a su casa para comer; aquí no hay nada".

"Tienen hambre. Primero debemos darles de comer", contestó Jesús. "No hay donde comprar alimento y ni con un montón de dinero podríamos comprar suficiente pan para toda esta gente", le dijo Felipe, uno de sus discípulos.

Andrés, otro de sus discípulos, dijo a Jesús: "Ahí hay un muchacho que tiene cinco panes de cebada y dos peces, pero no es gran cosa para tanta gente". Jesús miró al niño y le preguntó: "¿Me das tu comida?", a lo que el muchacho respondió: "Sí, Maestro", y se lo entregó todo.

"Decidle a la gente que se siente en la hierba en grupos", pidió Jesús a sus discípulos. Éstos fueron sentando a la gente y contaron en total unos cinco mil hombres, mujeres y niños.

Jesús alzó los cinco panes y los dos peces del muchacho y pronunció una oración de gracias a Dios. Luego, partió el pan y los peces en trozos y lo dio a los discípulos. "Repartidlo entre la gente", les dijo.

Los discípulos comenzaron a distribuir
la comida, pero cuanto más daban, más les
quedaba. Estaban asombrados y perplejos. Todos
empezaron a comer y tuvieron cuanto quisieron.

Cuando terminaron de cenar, Jesús dijo a sus discípulos:
"Recoged lo que ha sobrado para que no se desperdicie nada".
Ellos recorrieron la ladera del monte recogiendo trozos de pan
y pescado. Cuando acabaron, habían llenado doce cestos.

El buen samaritano

Una vez que Jesús estaba enseñando a la gente la palabra de Dios, un astuto abogado se levantó y, queriendo tenderle una trampa, le preguntó: "¿Qué debo hacer para alcanzar la vida eterna?". "¿Qué dice la ley que debes hacer?", le preguntó Jesús. "Amarás a Dios con todo tu corazón, con toda tu alma, con todas tus fuerzas y con toda tu mente", contestó el abogado. "Y a tu prójimo como a ti mismo", continuó, antes de preguntar: "Pero, ¿quién es mi prójimo?".

Jesús respondió a la pregunta del abogado con la siguiente historia: "Un judío que vivía en Jerusalén salió de la ciudad y emprendió el largo camino a Jericó. Aunque sabía que era peligroso, debido a los salteadores de caminos, decidió viajar solo".

"El judío iba por un tramo solitario del camino cuando unos ladrones, que esperaban a que pasara alguien por allí, salieron de su escondrijo y se le echaron encima. Lo golpearon, lo tiraron de su montura y le dieron patadas. Luego le robaron todo lo que llevaba y salieron corriendo. El judío se quedó en el suelo gravemente herido".

"Al cabo de un rato, un sacerdote que servía en el templo de Jerusalén bajó por ese mismo camino. Sin embargo, al ver al judío tirado en el polvo, hundió los talones en su burro y pasó de largo".

"Algo más tarde, un hombre que trabajaba en el templo pasó por allí. Se quedó mirando al judío herido, pero no se detuvo y siguió su camino a toda prisa".

"Luego pasó un samaritano a lomos de un burro. Todo el mundo sabe que los judíos y los samaritanos se odian desde siempre, pero este samaritano sintió lástima del judío. Paró inmediatamente y bajó del burro. Luego abrió su zurrón y, de rodillas en el polvo junto al hombre, untó aceite en las heridas del judío para aliviarle el dolor y las roció con vino para curarlas. Luego vendó al hombre con tiras de paño".

"Cuando hubo hecho todo lo que pudo, el samaritano subió al judío a su burro y lo llevó a una posada. Una vez allí, metió al hombre herido en la cama y fue a comprarle algo para cenar".

A la mañana siguiente, el samaritano pagó al posadero y le dijo: "cuida de este hombre por mí y, si falta dinero, te pagaré a mi regreso".

Al terminar el relato, Jesús le preguntó al abogado: "¿Quién de los tres te parece que fue prójimo del que cayó en manos de los salteadores?".

"El samaritano, por supuesto", contestó el abogado. Y Jesús le dijo: "Vete y haz tú lo mismo. Sé bueno con todos, no sólo con tu familia y tus amigos".

María, Marta y Lázaro

Cuando Jesús llegó al pueblo de Betania, que estaba cerca de la ciudad de Jerusalén, se alojó en casa de dos hermanas, María y Marta, y un hermano, Lázaro. El hermano estaba fuera de la casa y María, sentada a los pies de Jesús, escuchaba sus palabras en silencio. Marta, mientras tanto, andaba atareada preparando la casa y la comida.

Al cabo de un rato, Marta, resentida de hacer todo el trabajo sola sin la ayuda de María, se quejó a Jesús diciéndole: "Señor, ¿no te importa que mi hermana me deje sola con todos los quehaceres? Dile que venga y me ayude".

"Marta", respondió Jesús con dulzura, "te preocupas demasiado por la casa. María es sabia, pues es más importante escuchar mis enseñanzas que ocuparse de la cocina y la limpieza".

Un tiempo después de que Jesús dejara la casa de Betania, María y Marta le mandaron recado de que volviera para salvar la vida a su hermano Lázaro. Pensaban que Jesús volvería de inmediato, pero pasaron dos días y aún no había llegado.

Jesús recibió el mensaje mientras estaba con sus discípulos. "Nuestro amigo Lázaro está dormido. Iré a despertarlo", les dijo. "Señor, si está dormido, ¿no es señal de que se recuperará?", preguntó uno de ellos. Pero Jesús sabía que Lázaro había muerto y esperó unos días para regresar a Betania.

Cuando Jesús y sus discípulos llegaron a la
casa, hacía ya cuatro días que habían sepultado
a Lázaro. María se quedó en la casa llorando
con los amigos de la familia, pero Marta salió
al encuentro de Jesús. "Señor, si hubieras
estado aquí, mi hermano no habría
muerto", dijo llorando.

"Vivirá de nuevo", le dijo Jesús.
"Sé que lo hará cuando Dios resucite
a todos los muertos el día final", dijo Marta.
"Todo el que cree en mí, aunque haya muerto,
jamás morirá. ¿Crees lo que te digo?", le preguntó
Jesús. "Sí, Señor; creo que eres el Hijo de Dios que
ha venido al mundo", le respondió Marta.

Entonces Marta entró en la casa y le susurró a María en el oído: "El
Maestro está aquí y te llama". Aún llorosa, María salió de la casa con
los amigos que habían ido a consolarla. Cuando Jesús la vio, sintió
una gran lástima y también él lloró. "Llevadme donde Lázaro", les
pidió, todavía emocionado.

Lo guiaron hasta la tumba, que se encontraba en una cueva. La
entrada estaba tapada con una gran roca. "Quitad la roca", pidió
Jesús. "Lázaro murió hace ya cuatro días, tiene que oler muy mal",
repuso Marta. "¿No te dije que si tienes fe verás la gloria de Dios?",

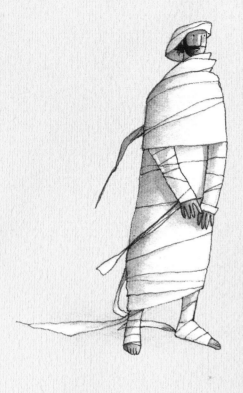

Varios amigos de la familia echaron a un lado la roca que tapaba la tumba y Jesús entró en la cueva. Una vez dentro, rezó a Dios y luego ordenó con voz potente: "Lázaro, sal fuera".

Ante la sorpresa de todos los presentes, Lázaro salió de la tumba sano y salvo, envuelto en el sudario que le cubría el cuerpo y la cabeza. "Quitadle las vendas para que pueda andar", dijo Jesús. Lázaro tenía el aspecto de un hombre que acababa de despertar, no de un hombre que había muerto y resucitado.

La gente que presenció la resurrección de Lázaro creyó entonces que Jesús había sido enviado por Dios. Unos cuantos fueron a ver a los jefes judíos, los fariseos, y les contaron lo ocurrido. Los fariseos se reunieron con el sumo sacerdote. "Debemos poner fin a esto", decidieron, "o de lo contrario todo el pueblo creerá en Jesús. Los romanos se sentirán amenazados creyendo que el pueblo judío se va a rebelar contra ellos y destruirán toda la nación. Es mejor que muera un solo hombre a que desaparezca toda una nación".

A partir de aquel día, se reunieron a menudo para tramar un modo de acabar con la vida de Jesús.

Jesús anuncia su muerte

Mucha gente había oído a Jesús predicar sobre Dios y también eran muchos los que habían visto las cosas prodigiosas que había hecho. Un día, Jesús preguntó a sus discípulos: "¿Quién dice la gente que soy yo?".

"Según unos, Juan el Bautista resucitado; según otros, un profeta, quizá Elías", contestaron los discípulos. "Y vosotros, ¿quién decís que soy?", les preguntó. Pedro respondió de inmediato: "El Rey prometido, el Hijo de Dios".

La respuesta de Pedro agradó mucho a Jesús: "Pedro, estás bendito, pues Dios mismo te ha dado el entendimiento. Tú eres la roca sobre la que construiré mi iglesia". Jesús podía preparar ahora a sus discípulos para lo que se avecinaba.

"Pronto tendré que ir a Jerusalén, donde no me aceptarán como Rey de Dios. Allí me juzgarán, me condenarán y me darán muerte, pero a los tres días resucitaré".

Luego advirtió a sus discípulos del sufrimiento que habrían de pasar. "Todo el que me siga debe abandonar las riquezas y las comodidades de este mundo para recibir una recompensa aún mayor en el Cielo".

Al cabo de una semana, Jesús llevó a Pedro, Santiago y Juan a lo alto de un monte para rezar. De repente, los tres discípulos vieron que Jesús cambiaba de aspecto: su rostro brillaba como el sol y su ropa relucía más blanca que la nieve. Luego aparecieron otras dos figuras resplandecientes que hablaron con Jesús; eran Moisés y el profeta Elías.

Los discípulos estaban aterrorizados. Luego vieron una nube reluciente que cruzaba el cielo y una voz dijo: "Éste es mi Hijo; escuchadlo". La nube pasó y los discípulos se quedaron de nuevo solos con Jesús. Mientras bajaban del monte, Jesús les dijo: "No contéis a nadie lo que habéis visto hoy hasta que mi Padre me devuelva la vida después de muerto".

El hijo pródigo

Un día, mientras Jesús hablaba a la gente, un grupo de fariseos se les unió y empezaron a murmurar entre unos y otros. "¿Por qué habla y come este hombre con gente que sabe que lleva una mala vida?". Jesús escuchó lo que decían y les recordó: "Basta que una sola persona se arrepienta de sus pecados y desee obedecer a Dios para que en el Cielo haya alegría". Y luego les contó la siguiente historia:

"Un labrador rico tenía dos hijos. El menor dijo un día a su padre: "Padre, la mitad de todo lo que posees será mío algún día. Dámelo ahora". El padre se disgustó mucho, pero le dio lo que pedía: contó el dinero que tenía y le entregó una buena parte".

"Unos días más tardes, el hijo se marchó con el dinero a una ciudad lejana. Allí se compró joyas y vestidos ostentosos, además de una gran casa con muchos criados. Noche tras noche daba grandes banquetes con comida deliciosa y vino bueno para los nuevos amigos que había hecho".

"Creía pasarlo en grande y disfrutaba de su vida de lujos, pero pronto se le acabó el dinero. Sus nuevos amigos lo abandonaron y tuvo que vender todo lo que había comprado, incluso sus vestidos, para saldar sus deudas".

"Anduvo vagando por las calles de la ciudad, vestido con harapos y pidiendo limosna para comer. Sin embargo, las cosechas habían sido malas y había escasez de alimento, por lo que a nadie le sobraba nada y pasó mucha hambre".

"Al fin, consiguió trabajo cuidando cerdos. A veces, su hambre era tal que se sentía tentado de comer la comida de los cerdos".

Un día, mientras vigilaba la piara de cerdos, pensó: "Los criados de mi padre tienen pan de sobra, mientras que yo aquí me muero de hambre. Volveré a casa de mi padre y le pediré que me perdone por lo que he hecho. No merezco que me llamen hijo suyo, pero le pediré que me deje servirle como un criado más".

"Tras un largo y duro viaje, el hijo llegó a la casa paterna cansado, sucio y vestido con harapos. Estando aún lejos de la casa, su padre lo vio y corrió a su encuentro, pues sintió mucha pena de su hijo. El padre abrazó a su hijo y lo cubrió de besos."

""Perdóname padre, he sido un insensato", le dijo el hijo. "No merezco ser tu hijo, pero déjame que te sirva como criado".

"El padre llevó a su hijo a la casa y llamó a los criados para que le trajesen vestidos y zapatos nuevos. "Esta noche daremos un gran banquete; comeremos y celebraremos una fiesta. Creía que mi hijo había muerto, pero está vivo; creía que estaba perdido, pero ha sido encontrado""

"El hijo mayor estaba en el campo, desde donde se oían risas, música y gente bailando. Fue a la casa y, de camino, preguntó a uno de los criados qué ocurría. "Ha vuelto tu hermano y tu padre ha organizado un banquete con música y baile para celebrar el regreso de su hijo".

"El hijo mayor se enfadó mucho y no quería entrar en la casa. Su padre salió a persuadirlo, pero él contestó: "Hace ya muchos años que trabajo para ti sin desobedecer nunca tus órdenes y nunca me diste nada, ni siquiera para celebrar una fiesta con mis amigos. Sin embargo, en cuanto regresa mi hermano, después de haberse llevado y malgastado tu dinero, organizas una fiesta en su honor".

"Hijo mío", le respondió el padre, "tú estás siempre conmigo y todo lo mío es tuyo. Intenta comprenderme. Creía que tu hermano estaba perdido o muerto. Ahora estoy tan contento que quiero celebrar que ha vuelto a casa sano y salvo".

Camino de Jericó

Jesús y sus discípulos fueron a Jericó a pie seguidos de una multitud que iba hablando y haciendo preguntas. Al lado del camino polvoriento había un ciego que no podía trabajar y se veía obligado a pedir limosna para comer. Cuando el ciego oyó el ruido de la gente que se acercaba, preguntó: "¿Qué ocurre? ¿Qué veis?".

"Es Jesús", le dijo alguien. "Va a pasar por aquí". El ciego había oído hablar de Jesús y comenzó a gritar: "Jesús de Nazaret, ten piedad de mí". La gente le dijo que se callara, pero él cada vez gritaba más fuerte: "Jesús, ten piedad de mí".

Jesús lo oyó y le pidió a un discípulo que le trajeran a aquel hombre. Cuando llegó, Jesús le preguntó. "¿Qué quieres que haga por ti?". "Señor, que recobre la vista", respondió el hombre. "Así será; tu fe lo ha logrado", le dijo Jesús. En ese instante, el hombre recobró la vista y se unió a la multitud que rodeaba a Jesús cantando alabanzas a Dios.

Una vez en Jericó, un rico recaudador de impuestos llamado Zaqueo quería ver a Jesús, pero era muy bajo de estatura y no podía a causa del gentío. Se adelantó corriendo a la multitud y se subió a un árbol, pues sabía que Jesús pasaría por allí.

Al pasar bajo la sombra del árbol, Jesús miró hacia arriba y vio al hombre subido a una rama. "Zaqueo, baja del árbol y llévame a tu casa, que quiero alojarme contigo". Entonces fueron a su casa y Zaqueo donó la mitad de lo que poseía a los pobres y ofreció devolver el cuádruple a quien hubiese hecho pagar de más".

Jesús entra en Jerusalén

Jesús y sus discípulos caminaron hasta la gran ciudad de Jerusalén, pues Jesús quería celebrar allí la Pascua. De camino, se detuvieron cerca de la aldea de Betania.

Jesús dijo a dos de sus discípulos: "Id al pueblo. Allí encontraréis un borrico sobre el que nadie ha montado aún; desatadlo y traedlo. Si alguien os pregunta por qué lo desatáis, le diréis: 'El Señor lo necesita y lo devolverá', y el hombre dejará que os lo llevéis".

Los dos discípulos se marcharon como Jesús les había mandado y encontraron el burro atado a una puerta cerca de un cruce. Cuando lo desataron, alguien les preguntó por qué lo hacían y ellos respondieron lo que Jesús les había indicado. Llevaron el borrico hasta Jesús y echaron sus mantos sobre el lomo del animal a modo de montura. Luego, Jesús se montó y siguió el camino a Jerusalén acompañado de sus discípulos, que andaban a su lado.

Los otros viajeros que iban camino de Jerusalén se emocionaron al ver a Jesús. Unos extendían sus mantos delante del burro; otros cortaban palmas y cubrían con ellas el camino. Todos gritaban llenos de alegría: "Bendito el que viene en nombre del Señor. Alabado sea Dios".

Jesús y sus discípulos entraron en la ciudad y recorrieron las calles hasta llegar al templo. Luego volvieron a Betania para pasar la noche.

A la mañana siguiente, Jesús regresó al templo de Jerusalén para rezar. El patio frente al templo parecía un mercado, con comerciantes que vendían vacas, ovejas y palomas y cambiaban dinero. Jesús se enfadó muchísimo y marchó furioso entre las mesas de los cambistas y las sillas de los tratantes de ganado hasta que echó a éstos y a los animales fuera del recinto.

"La casa de Dios es una casa de oración y vosotros la habéis convertido en una cueva de ladrones", les dijo.

Cuando todo se tranquilizó de nuevo, Jesús
compartió sus enseñanzas sobre Dios con la multitud
y curó a los enfermos.

Los sacerdotes principales del templo se enteraron de lo que Jesús
había hecho y decidieron que se librarían de él. Temían tanto a
Jesús como el modo en que atraía al pueblo, que acudía en masa a
escucharlo. No se atrevían a arrestarlo en el patio del templo, pues
no querían que se produjera un altercado si la gente decidía protegerlo.

Tramaron que lo arrestarían cuando nadie pudiera verlos. Judas
Iscariote, uno de los doce discípulos de Jesús, acudió en secreto
a ver a los sacerdotes principales del templo. Estaba decidido a
traicionar a Jesús.

"¿Qué me daréis si os digo dónde y cuándo podréis
arrestar a Jesús sin problemas?", preguntó a los
sacerdotes, quienes se alegraron mucho de verlo
y le prometieron treinta monedas de plata.

Desde entonces, Judas Iscariote esperó atento
la ocasión de traicionar a Jesús y entregárselo
a los sacerdotes del templo. Debía ser
en un momento en que estuviera solo,
sin una multitud a su alrededor que
pudiera defenderlo.

La última cena

Unos días antes de la Pascua, fiesta que recordaba a los judíos aquella ocasión en que Dios los salvó de la esclavitud en Egipto, los discípulos preguntaron a Jesús dónde debían preparar la cena de Pascua.

"Id a Jerusalén", dijo Jesús a Pedro y a Juan. "Allí encontraréis a un hombre que lleva un cántaro de agua; seguidlo hasta la casa donde entre y preguntad al dueño de la casa que dónde está la sala donde celebraremos la Pascua juntos".

Pedro y Juan fueron a Jerusalén, encontraron al hombre del cántaro y lo siguieron a su casa. Allí prepararon una sala en el piso de arriba y, esa noche, Jesús y los otros diez discípulos llegaron para la cena.

Antes de sentarse a la mesa, Jesús llenó una palangana de agua, tomó una toalla y se arrodilló delante de cada uno de sus discípulos para lavarles los pies y secárselos con la toalla. Esta tarea solía hacerla un criado y, cuando Jesús llegó a Pedro, el discípulo protestó. "Jamás permitiré que me laves los pies, mi Señor", dijo Pedro, a lo que Jesús replicó: "Si no te lavo los pies, no podrás contarte entre los míos".

Cuando acabó, Jesús se sentó a la mesa con sus discípulos. "Yo, vuestro Señor, os he lavado los pies; también vosotros debéis lavaros los pies los unos a los otros. Os he dado ejemplo para que sepáis que el maestro no es más importante que el criado y que siempre debéis mostrar bondad y humildad ante los demás".

Jesús estuvo un rato hablando con los discípulos y luego se calló. Los discípulos se quedaron mirándolo. Presentían que algo malo sucedía porque su maestro estaba muy triste. Jesús sabía que no estaría entre ellos durante mucho tiempo, ya que pronto debía morir.

Por fin dijo: "Uno de vosotros me va a traicionar". Los discípulos se quedaron atónitos y empezaron a mirarse los unos a los otros horrorizados, preguntándose quién sería el traidor. Entonces, uno de los discípulos, que estaba sentado junto a Jesús, preguntó a éste: "Señor, ¿quién es?". Y Jesús contestó: "Aquel a quien yo dé este trozo de pan".

Partió el pan, mojó un trozo en el plato y se lo entregó a Judas
Iscariote. "Haz lo que debas hacer", le dijo. Judas Iscariote tomó
el pan, se levantó inmediatamente de la mesa y desapareció en la
oscuridad de la noche.

Cuando se hubo marchado, Jesús dijo a sus discípulos que los
amaba mucho, pero que pronto debería abandonarlos. Les dijo que
no estarían solos, que Dios enviaría su Espíritu para ayudarlos,
y que no debían tener miedo.

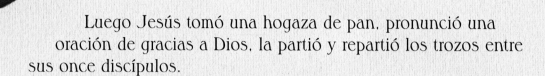

Luego Jesús tomó una hogaza de pan, pronunció una oración de gracias a Dios, la partió y repartió los trozos entre sus once discípulos.

"Comed este pan que es mi cuerpo y recordadme", dijo. Luego tomó una copa de vino, rezó una oración y la pasó a sus discípulos diciendo: "Ésta es mi sangre que derramo por vosotros y por todos los hombres. Bebedla y recordadme".

Cuando acabaron la cena, Jesús y sus discípulos cantaron un himno y luego salieron a la calle en la oscuridad de la noche. Fueron andando hasta un huerto de olivos, llamado Getsemaní, y en el camino Jesús les dijo que pronto huirían y lo dejarían solo.

"Antes que eso prefiero la muerte", dijo Pedro alzando la voz. "Te aseguro que esta misma noche, antes de que el gallo cante, me habrás negado tres veces", le dijo Jesús sin enfadarse.

En Getsemaní, Jesús pidió a varios de sus discípulos que se quedaran junto a la verja mientras él rezaba a Dios. Fue a un rincón tranquilo del huerto con Pedro, Santiago y Juan y luego continuó solo para rogar a Dios que le diera el valor que necesitaba para enfrentarse al momento tan terrible que se avecinaba.

Cuando regresó donde había dejado a Pedro, Santiago y Juan, Jesús los encontró dormidos. "¿No habéis podido permanecer despiertos ni una hora?", les preguntó. "Por favor, velad mientras rezo", les dijo antes de marcharse de nuevo. Cuando terminó sus oraciones, Jesús se dirigió hacia sus tres discípulos y los encontró de nuevo durmiendo.

Jesús los despertó por tercera vez y entonces oyeron voces y vieron antorchas que brillaban en la oscuridad. Eran los sacerdotes principales con los guardias del templo y Judas Iscariote los guiaba hasta donde encontrarían a Jesús, para arrestarlo lejos de la multitud.

Judas Iscariote caminó hasta Jesús y le dio un beso en la mejilla. "Éste es el hombre que buscáis", dijo a los guardias. Pero cuando los guardias se acercaron para prender a Jesús, Pedro sacó su espada e, intentando defenderlo, le cortó la oreja a uno de los criados de los sacerdotes.

"Guarda tu espada", le ordenó Jesús. Entonces, tocó la oreja del hombre herido y la curó de inmediato. Luego preguntó a los sacerdotes: "¿Por qué habéis venido con espadas y palos como si sfuera un bandido?", pero ellos no respondieron.

Los discípulos huyeron asustados y lo dejaron solo, como Jesús había dicho. Los guardias tomaron a Jesús por los brazos y lo llevaron de vuelta a Jerusalén.

La sentencia de muerte

Esa misma madrugada, los guardias del templo llevaron a Jesús al palacio del sumo sacerdote, llamado Caifás. Se convocó a muchos de los jefes judíos para que asistieran al juicio, a pesar de lo tarde que era.

Pedro siguió a Jesús de lejos por las calles de Jerusalén hasta el patio del palacio. Mientras se calentaba las manos en la lumbre junto a unos guardias, una criada pasó por su lado y le dijo: "Tú también estabas con Jesús, el nazareno". "No sé de qué me hablas", contestó Pedro. Algo más tarde, otra criada dijo al verlo: "Éste andaba con Jesús". Esta vez Pedro juró: "Yo no conozco a ese hombre".

Luego, mientras charlaba con los guardias, un hombre se acercó y dijo: "Tú debes conocer a Jesús; se te nota que vienes de Galilea". Pedro se asustó mucho y respondió: "¡Ya os he dicho que no conozco a ese hombre!". En ese preciso momento, un gallo cantó tres veces y Pedro recordó que Jesús le había advertido que negaría conocerlo en tres ocasiones.

Horrorizado ante lo que había hecho, Pedro salió corriendo del patio y se escondió en una esquina sombría, donde lloró amargamente de vergüenza.

En el palacio, los sacerdotes principales y los jefes de
los judíos comenzaron el juicio de Jesús. Trajeron a
muchos testigos falsos que habían sobornado para
que contaran mentiras sobre Jesús, pero sus
versiones no coincidían. Los jefes judíos buscaban
una excusa para condenarlo a muerte, pero por
mucho que lo intentaban no podían demostrar
que hubiera hecho nada malo. A lo largo de
todo el juicio, Jesús no dijo palabra,
ni respondió a ninguna de
las acusaciones.

Por fin, el sumo sacerdote preguntó
a Jesús: "¿Por qué no respondes?", pero
Jesús seguía sin contestar. Entonces el sacerdote
le preguntó si era el Hijo de Dios, a lo que Jesús
respondió tranquilamente: "Lo soy". "Acabáis de oír lo que ha
dicho el prisionero", declaró el sumo sacerdote a la gente. "No
necesitamos más testigos. Dice ser igual que Dios; eso es una
blasfemia. ¿Os parece culpable o inocente?", preguntó a los
asistentes. "¡Culpable!", exclamaron todos, y luego golpearon
y escupieron a Jesús.

El sumo sacerdote condenó a Jesús a muerte, pero antes de ejecutarlo,
necesitaba la autorización del gobernador romano, Poncio Pilato.
Sólo él podía dar la orden de ejecutar a un preso.

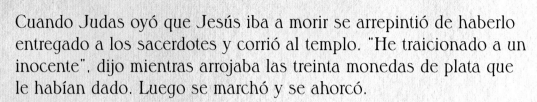

Cuando Judas oyó que Jesús iba a morir se arrepintió de haberlo entregado a los sacerdotes y corrió al templo. "He traicionado a un inocente", dijo mientras arrojaba las treinta monedas de plata que le habían dado. Luego se marchó y se ahorcó.

163

Los sacerdotes recogieron las monedas. "No podemos meter este dinero en el tesoro del templo. Al estar asociado a la muerte de Jesús es como si estuviera manchado de sangre", dijeron. Tras mucho discutirlo, decidieron que comprarían un campo para sepultar a los extranjeros, un lugar que se conocería más tarde como el Campo de la Sangre.

Por la mañana, llevaron a Jesús ante Poncio Pilato. El sumo sacerdote sabía que el gobernador romano no condenaría a muerte a un hombre por blasfemar contra Dios, de modo que lo acusaron de traición, un delito que atentaba contra las leyes romanas.

Jesús compareció ante el gobernador romano y éste le preguntó: "¿Eres tú el rey de los judíos?", a lo que Jesús contestó: "Tú lo dices". Luego Pilato le hizo más preguntas, pero Jesús no respondió a ninguna y permaneció en silencio. El gobernador se dio cuenta de que Jesús era inocente, pero no quería enojar a los jefes judíos dejándolo libre.

En aquella época, era costumbre que los gobernadores romanos del país liberaran con motivo de Pascua a un preso que el pueblo podía elegir. Poncio Pilato preguntó a la multitud si debía soltar a Barrabás, culpable de asesinato, o a Jesús. Los sacerdotes principales y los jefes judíos convencieron a la gente de que gritara: "¡Libera a Barrabás! ¡Libera a Barrabás!".

"¿Y qué hago entonces con Jesús?", preguntó Pilato a la gente. "¡Crucifícalo!", gritaron todos. "Pues, ¿qué mal ha hecho?", les dijo. Pero ellos gritaron aún más fuerte: "¡Crucifícalo! ¡Crucifícalo!".

El gobernador sabía que no estaba bien conceder al pueblo lo que pedía, pero temía una rebelión, de modo que ordenó que le trajeran una palangana de agua y se lavó las manos, mientras decía: "No me hago responsable de esta muerte; es cosa vuestra". Entonces mandó que dejaran libre a Barrabás y que azotaran a Jesús antes de que los guardias se lo llevaran para crucificarlo.

Los soldados se llevaron a Jesús, lo vistieron con una túnica de color púrpura y le colocaron una corona de espinas. Se burlaron de él arrodillándose a sus pies y luego lo abuchearon. "¡Salve, rey de los judíos!", exclamaban. Le golpearon y le escupieron y luego le volvieron a poner su ropa y se lo llevaron para crucificarlo.

La crucifixión

Los soldados llevaron a Jesús por las calles de
Jerusalén y lo obligaron a cargar una gran cruz de
madera. Jesús estaba muy cansado y débil después
de las palizas que le habían dado y tropezaba
a cada momento con el peso de la cruz.

Por fin, un soldado pidió a un
hombre que miraba la procesión,
llamado Simón, que cargara
la cruz de Jesús.

Después de gran esfuerzo, llegaron a un monte llamado Gólgota, a las afueras de la ciudad. Allí los guardias clavaron a Jesús en la cruz por las manos y los pies. Sobre su cabeza colocaron un cartel que decía: "Jesús de Nazaret, rey de los judíos". Luego alzaron la cruz entre otras dos donde ya habían crucificado a dos ladrones también condenados a muerte. Jesús miró a los soldados y a la gente que lo contemplaba y dijo: "Perdónalos, Padre, pues no saben lo que hacen".

Entre la multitud había varios enemigos de Jesús que gritaban: "Si de verdad eres el Hijo de Dios, baja de la cruz; entonces creeremos en ti". Los sacerdotes principales también exclamaban: "Salvaste a otros, ¿por qué no te salvas a ti mismo?".

Uno de los ladrones crucificados se burlaba de Jesús y decía: "Si eres verdaderamente el rey de los judíos, sálvanos a los tres". Pero el otro dijo: "Nosotros merecemos morir, pero este hombre no ha hecho mal alguno". Luego se dirigió a Jesús y le dijo. "Jesús, acuérdate de mí cuando llegue tu reino". Y éste le respondió: "Te digo que hoy estarás conmigo en el paraíso".

María, la madre de Jesús, se encontraba cerca de la cruz junto a Juan, uno de los discípulos. Jesús los miró y dijo: "Cuida de ella como si fueras su hijo", y desde entonces Juan se ocupó de María como si fuera su madre.

Al mediodía, el cielo se oscureció de forma extraña durante unas tres horas. La multitud que rodeaba a Jesús esperaba en silencio. A las tres en punto, Jesús miró al cielo y exclamó: "Dios mío, ¿por qué me has abandonado?". Luego bajó la cabeza y dijo: "Padre, pongo mi espíritu en tus manos", y murió.

En ese momento, la tierra tembló y el velo del templo se rasgó de arriba abajo. Muchos de los soldados y demás asistentes tuvieron miedo. Entonces, un soldado romano miró a Jesús y dijo: "Verdaderamente, este hombre era el Hijo de Dios".

Toda la gente empezó a regresar a la ciudad, pero María, la madre de Jesús, María Magdalena, María, la madre de Santiago, y otros amigos se quedaron junto a la cruz. Para asegurarse de que Jesús estaba muerto, un soldado le clavó una lanza en el costado. Luego, los soldados lo bajaron de la cruz.

José, un hombre rico de Arimatea que creía en Jesús, se presentó ante Poncio Pilato, el gobernador romano y le pidió permiso para llevarse a Jesús y enterrarlo. Pilato accedió y ordenó que le entregaran el cuerpo de Jesús.

José se llevó el cuerpo con la ayuda de varios amigos de Jesús y lo envolvió en un sudario. Luego lo llevaron a una tumba nueva cavada en la roca de un huerto situado en la ladera de una colina, a las afueras de Jerusalén. Colocaron el cadáver en la tumba y la cerraron poniendo una roca enorme en la entrada. Era viernes por la tarde, y como el sábado judío del descanso comienza al anochecer, tuvieron que esperar y dejar el entierro de Jesús hasta el anochecer del día siguiente.

Los jefes judíos pidieron al gobernador que colocara centinelas en la tumba, ya que temían que alguien viniera a robar el cuerpo para decir que Jesús había resucitado. Poncio Pilato dio la orden: sus soldados sellaron la tumba y montaron guardia toda la noche.

El sepulcro vacío

El domingo por la mañana, antes del amanecer, María Magdalena fue con dos amigas a la tumba para terminar los preparativos del entierro y se preguntaba cómo harían para retirar la gran roca que tapaba la entrada.

Cuando las mujeres llegaron a la colina, se quedaron muy sorprendidas al ver que la roca ya no tapaba la entrada y que los soldados ya no estaban allí. Un hombre con una túnica deslumbrante les dijo: "No temáis. Sé que buscáis a Jesús. No está aquí; está vivo". Las mujeres miraron dentro de la tumba, pero estaba vacía; el cadáver no estaba allí.

Las tres mujeres, extrañadas y con algo de miedo, corrieron a contar a los discípulos y a los amigos de Jesús lo ocurrido. "Se han llevado al Señor y no sabemos dónde lo han dejado", lloraba María. Pero los discípulos no creyeron sus palabras y pensaron que las mujeres lo habían imaginado todo.

Pedro y Juan corrieron a la tumba para ver qué ocurría con sus propios ojos. Juan llegó primero, pero no estaba seguro de entrar; cuando Pedro llegó, entró de inmediato y vio que la tumba estaba vacía. Sin embargo, el sudario que envolvía a Jesús seguía allí. Pedro y Juan no sabían si el cadáver había sido robado o si Jesús había vuelto a la vida. Nerviosos y desconcertados, ambos regresaron a casa en silencio.

María Magdalena volvió sola a la tumba y, mientras lloraba arrodillada a la puerta de la tumba, Jesús vino y se quedó de pie junto a ella. "¿Por qué lloras? ¿A quién buscas?", preguntó. María no levantó la mirada, pues pensaba que sería un trabajador del huerto. "Lloro porque se han llevado a mi Señor; dime por favor dónde se encuentra", suplicó.

"María", dijo Jesús. María miró hacia arriba y vio que era Jesús. "¡Señor mío!", exclamó. "Ve y cuenta a mis amigos que me has visto y que pronto me reuniré con mi Padre en el Cielo", le dijo Jesús. Llena de alegría, María corrió a contar a los discípulos que había visto a Jesús y que le había hablado.

Camino de Emaús

Ese domingo por la tarde, Cleofás y Simón, ambos amigos de Jesús, andaban con paso triste y cansado por el camino que llevaba de Jerusalén a Emaús mientras hablaban de Jesús. Al cabo de un rato, un hombre se les unió. Era Jesús, pero no lo reconocieron y lo tomaron por un extraño.

"¿Por qué estáis tan tristes?", preguntó Jesús. "¿Eres tú el único en Jerusalén que no sabe lo que ha pasado allí estos tres últimos días?", preguntó Cleofás. "¿Qué ha pasado?", contestó Jesús.

"Hablábamos de Jesús de Nazaret", respondió Simón. "Era un gran maestro. Creíamos que lo había enviado Dios para salvar a nuestro pueblo, pero los sacerdotes principales y los gobernadores romanos lo acusaron de desobedecer las leyes de Dios y de los romanos y lo condenaron a muerte. Luego lo clavaron en una cruz y ahora está muerto. Eso ocurrió el viernes pasado, hace tres días. Cuando unas mujeres fueron a su tumba esta mañana, descubrieron que su cadáver había desaparecido. Dicen que un ángel les ha comunicado que Jesús está vivo".

Jesús contó a Cleofás y Simón que los antiguos profetas ya habían anunciado que todo esto ocurriría y se lo estuvo explicando. Cuando llegaron a Emaús, era ya de noche. Cleofás y Simón pensaban que el extraño continuaría su viaje, pero quisieron invitarlo a quedarse en su casa y a cenar con ellos.

Una vez sentados a la mesa, el extraño tomó una hogaza de pan, la partió, dio gracias a Dios y la repartió a los dos hombres. En ese momento, Cleofás y Simón se dieron cuenta de que el extraño era Jesús. Se quedaron sin habla, mirándolo, y de repente desapareció.

Llenos de emoción por lo que había ocurrido, hablaron unos minutos sobre Jesús y decidieron regresar de inmediato a Jerusalén. Salieron aprisa de la casa y corrieron hasta la ciudad. Cleofás y Simón encontraron enseguida a algunos discípulos y amigos de Jesús y les contaron que Jesús estaba vivo, que lo habían visto y habían hablado con él. Al principio, los discípulos no lo creían, pero uno dijo: "Debe ser cierto, pues Pedro también lo ha visto".

173

Por miedo a
que los romanos
o los sacerdotes
los escucharan,
fueron a cerrar la
puerta. En este preciso
instante, Jesús se apareció
en medio de la habitación. "La paz esté con vosotros",
les dijo. En un primer momento, todos se quedaron
aterrorizados, pensando que era un fantasma.

"No temáis", les dijo Jesús. "Miradme las heridas de las manos
y los pies. Tocadme y veréis que estoy hecho de carne y hueso".
Entonces se dieron cuenta de que, efectivamente, era Jesús.

"¿Tenéis algo de comer?", preguntó Jesús. Le dieron un poco de
pescado asado y de miel y lo observaron mientras comía. Jesús
les explicó que todo esto formaba parte del plan de Dios y que
había sido anunciado por los profetas.

"El Hijo de Dios tenía que morir y resucitar al tercer día", dijo.
"Dios perdona a todo el que cree en mí, su Hijo. Éste es el mensaje
para toda la gente del mundo y debéis partir y contárselo".

Desayuno junto al lago

A lo largo de las semanas siguientes, los discípulos y amigos de Jesús vieron y hablaron a menudo con su maestro. Otro grupo de discípulos, entre quienes se encontraba Pedro, se marchó de Jerusalén al lago Galilea. Una tarde, Pedro decidió salir a pescar con su barca en el lago y zarpó en compañía de varios discípulos. Pasaron toda la noche echando redes al agua, pero una y otra vez las sacaban vacías.

Por la mañana, cuando regresaban, vieron a un hombre que esperaba a la orilla del lago. "¿Habéis conseguido pescar algo?", les preguntó. "No, nada", respondieron a gritos. "Tirad la red a la derecha de la barca", vociferó el hombre. Los de la barca hicieron lo que les aconsejó aquel hombre y la red se llenó tanto de peces que no podían sacarla del agua.

Uno de los discípulos dijo: "Debe ser Jesús". Pedro se tiró inmediatamente al agua y nadó hasta la orilla. Los demás remaron hasta la playa, arrastrando la red rebosante de pescado. Aunque la carga era muy pesada, la red no se partió. Jesús había encendido una hoguera y había asado unos pescados sobre ella.

"Venid a comer y traed algo más del pescado que habéis capturado", dijo Jesús, y entregó el pescado asado y algo de pan a los discípulos. Ninguno se atrevía a preguntarle quién era, pero todos sabían que era Jesús.

Cuando acabaron, Jesús miró a Pedro y le preguntó: "¿Me amas?".
"Sí, Señor; tú lo sabes todo y sabes que te amo". Jesús repitió
esta misma pregunta dos veces más y Pedro contestó siempre
que sí, que amaba a Jesús, quien también le dijo tres veces:
"Cuida de mis fieles seguidores".

Viento y fuego

La última vez que los discípulos vieron a Jesús, iban caminando por el monte de los Olivos, a las afueras de Jerusalén. Jesús había venido a despedirse, pues habían pasado cuarenta días desde su muerte y su resurrección.

"Debéis regresar a Jerusalén y esperar allí", les dijo. "Juan bautizaba a la gente con agua, pero Dios os bautizará muy pronto con el Espíritu Santo. Él os dará el valor y la fuerza que necesitáis para hablar libremente al pueblo de Jerusalén, al de Judea y al de Samaria, e incluso al resto del mundo. Contad la buena nueva: que todo el que confíe en mí y se arrepienta de sus pecados será perdonado y que daré a cada uno de ellos una vida nueva. Recordad que siempre estaré con vosotros".

Cuando terminó de hablar, Jesús quedo oculto por una nube y subió al Cielo. Los discípulos, que contemplaban su ascensión, vieron aparecer a dos hombres vestidos de blanco. "Hombres de Galilea, ¿por qué miráis al Cielo? Jesús se ha marchado con Dios, pero un día regresará", dijeron.

Los discípulos regresaron a Jerusalén llenos de alegría y esperaron allí como Jesús les había indicado. El día de la fiesta judía de Pentecostés, que celebra el fin de la cosecha de trigo, cincuenta días después de la Pascua, los discípulos se encontraban en una casa de la ciudad en compañía de muchos otros amigos de Jesús, hombres y mujeres, y de María, su madre.

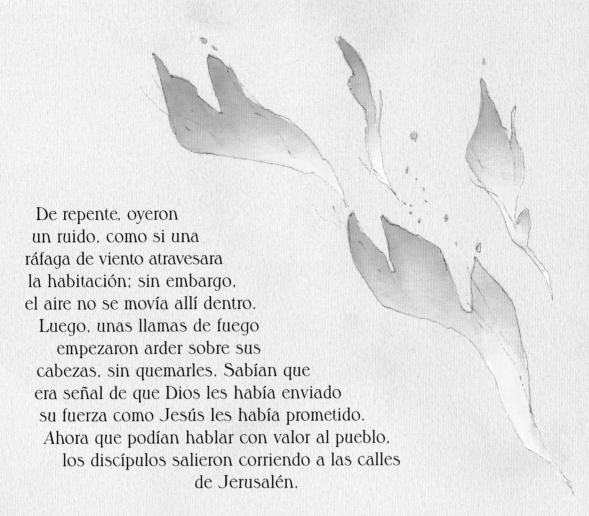

De repente, oyeron
un ruido, como si una
ráfaga de viento atravesara
la habitación; sin embargo,
el aire no se movía allí dentro.
Luego, unas llamas de fuego
empezaron arder sobre sus
cabezas, sin quemarles. Sabían que
era señal de que Dios les había enviado
su fuerza como Jesús les había prometido.
Ahora que podían hablar con valor al pueblo,
los discípulos salieron corriendo a las calles
de Jerusalén.

La ciudad estaba repleta de judíos que habían acudido de tierras
muy lejanas, como Egipto, África del Norte, Persia, Creta y Arabia,
para celebrar la fiesta de Pentecostés. Se sorprendieron mucho
cuando los discípulos les empezaron a hablar en sus propios idiomas,
unos idiomas que nunca antes habían estudiado o hablado.

Los discípulos les hablaron de Dios y de Jesús y de todas las cosas
prodigiosas que había hecho. También les dijeron que debían
bautizarse en el nombre de Jesús, que debían arrepentirse de sus
pecados y creer que Jesús había muerto por ellos y que serían
perdonados. Animaron a todos a empezar una vida nueva, con el
conocimiento de que Dios siempre los ayudaría y los acompañaría.

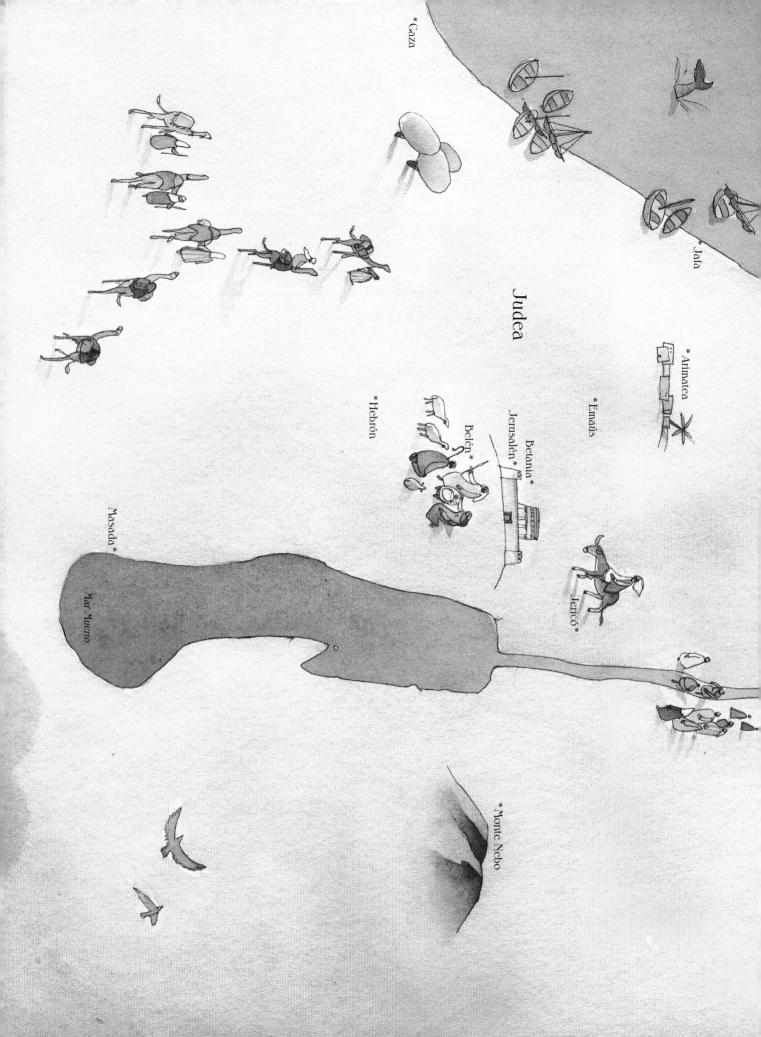

* Gaza

* Jafa

Judea

* Arimatea

* Emaús

Betania *
Jerusalén *

Belén *

* Hebrón

Jericó *

Masada *

Mar Muerto

* Monte Nebo

Mapa de las
tierras del Nuevo
Testamento

Mer Méditerranée

Samaria

* Monte Carizín
* Samaria
* Sicar
* Monte Sicar

* Jezrael

* Monte Carmelo

Galilea

* Caná

* Nazaret

Tiro

Genesaret *
Magdala *
Cafarnaúm *
Betsaida *

Río Jordán

Lago Galilea

Quién es quién en la Biblia

Aarón: hermano, compañero y ayudante de Moisés. Aarón pidió al rey de Egipto, en nombre de su hermano, que dejara a los hebreos salir de Egipto.

Aarón

Abdemélec: criado del rey Sedecías que rescató a Jeremías de un pozo fangoso.

Abraham: uno de los principales antepasados del pueblo judío. Recibe, junto a sus descendientes, varias promesas de Dios, por lo que se le conoce como el Padre del pueblo judío. Su hijo fue Isaac.

Absalón: hijo de David que luchó contra su padre para arrebatarle el reino.

Adán: primer hombre, creado por Dios para vivir en el huerto del Edén.

Ajab: rey de Israel, casado con Jezabel, que gobernó en tiempos del profeta Elías.

Andrés: uno de los doce discípulos de Jesús; pescador y hermano de Simón y Pedro.

Artajerjes: rey de Persia que permitió a Nehemías regresar a Jerusalén para ayudar a los judíos de la ciudad a obedecer las leyes de Dios.

Baltasar: rey de Babilonia que vio como una mano fantasmal escribía una advertencia en la pared durante un banquete.

Barrabás: asesino que fue puesto en libertad en vez de Jesús.

Bartolomé: uno de los doce discípulos de Jesús.

Benjamín: el menor de los doce hijos de Jacob.

Booz: labrador rico que ayudó a Rut y se casó con ella cuando ésta se fue a vivir a Belén acompañando a Noemí.

Caifás: sumo sacerdote de Jerusalén en tiempos del juicio y la crucifixión de Jesús.

Ciro: rey de Babilonia que dejó que los judíos cautivos regresaran a Jerusalén para reconstruir su templo.

Cleofás: uno de los hombres que se encontró con Jesús en el camino de Emaús después de que éste hubiera muerto en la cruz.

Dalila: mujer filistea que descubrió el secreto de la fuerza prodigiosa de Sansón.

Daniel: muchacho hebreo que se crió en Babilonia y ocupó cargos importantes al servicio de sus reyes. Fiel a Dios, sobrevivió su encarcelamiento y una noche en un foso de leones.

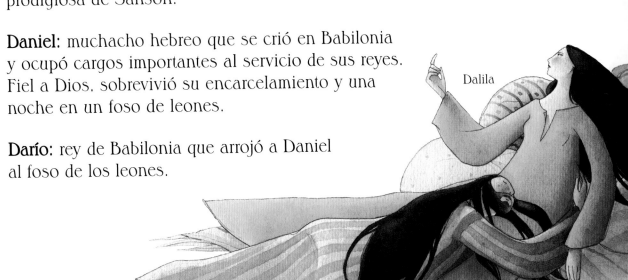

Dalila

Darío: rey de Babilonia que arrojó a Daniel al foso de los leones.

David : joven pastor que mató al gigante Goliat con una piedra. Se hizo muy amigo del hijo del rey Saúl, Jonatán, y de mayor fue rey de Israel.

Discípulos: amigos y seguidores de Jesús; había doce discípulos especiales, también llamados apóstoles y eran Andrés, Pedro, Felipe, Juan, Bartolomé, Tomás, Santiago, otro Santiago, Simón, Judas, Judas Iscariote y Mateo.

Elías: gran profeta de Israel que luchó continuamente por mantener la fe del pueblo en Dios y corrió muchos peligros perseguido por el rey Ajab de Israel, quien adoraba al dios Baal.

Eliseo: profeta que continuó la obra de Elías, curó a Naamán de la lepra y resucitó al hijo de una viuda.

Esaú: hijo de Isaac y Rebeca, a quien su hermano gemelo, Jacob, usurpó su herencia.

Ester: joven judía esposa del rey persa Jerjes. Salvó a su pueblo de ser exterminado.

Eva: primera mujer, creada por Dios. Vivió con Adán en el jardín del Edén.

Fariseos: miembros de un grupo de jefes judíos muy estrictos que conspiraron contra Jesús.

Elías

Goliat

Filisteos: pueblo en guerra continua con los israelitas por invadir sus fronteras.

Gabriel: ángel que anunció a María que daría a luz a un niño al que llamaría Jesús.

Goliat: soldado filisteo gigante a quien David mató con su honda.

Hebreos: nombre que recibe el pueblo judío, también llamado israelita.

Herodes Antipas: hijo de Herodes el Grande que ordenó la muerte de Juan el Bautista.

Herodes el Grande: gobernador de Galilea y rey de Judea. Se enteró del nacimiento de Jesús a través de los sabios de Oriente e intentó matarlo.

Herodías: esposa de Herodes Antipas y madre de Salomé.

Isaac: hijo de Abraham y Sara, esposo de Rebeca y padre de Jacob y Esaú.

Isabel: madre de Juan el Bautista y prima de María, la madre de Jesús.

Israel: nombre que recibe Jacob, cuyos hijos fueron padres de las doce tribus de Israel, quienes más tarde se asentaron en la tierra prometida. Israel es también el nombre de este reino.

Israelitas: pueblo elegido por Dios que fue a vivir a Israel, la tierra prometida. También llamados hebreos y judíos.

Jacob: hijo de Isaac. Robó la herencia de su hermano gemelo, Esaú, y tuvo doce hijos. Luego recibió el nombre de Israel.

Jairo: jefe de una sinagoga cuya hija fue resucitada por Jesús.

Jerjes: rey persa que se casó con Ester.

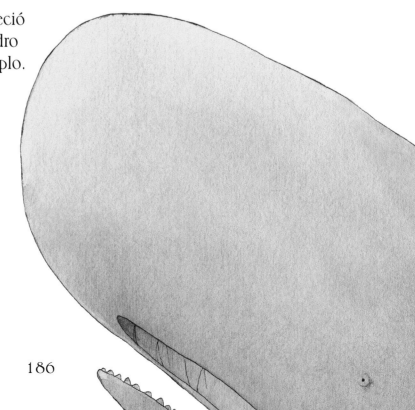

Jonás

Jeremías: profeta que vivió en Jerusalén; no gozó de mucha popularidad, pues anunció la destrucción de la ciudad en manos de los babilonios.

Jeroboán: oficial de la corte del rey Salomón. Fue el primer rey de las diez tribus del norte cuando Israel quedó dividido en dos reinos en tiempos del rey Roboán.

Jesús: Hijo de Dios según la creencia cristiana; el Nuevo Testamento habla de su vida, sus enseñanzas, sus milagros, su muerte y su resurrección.

Jirán: rey de Tiro que abasteció a Salomón de madera de cedro para la construcción del templo.

Jonás: profeta reacio a cumplir su misión, tragado por una ballena después de que se negara a obedecer las órdenes de Dios.

Jonatán: hijo del rey Saúl y gran amigo del rey David.

José: esposo de María, la madre de Jesús.

José: el hijo bienamado de Jacob, que fue vendido como esclavo y llegó a ser un gran gobernador de Egipto.

José

José de Arimatea: procuró una tumba para Jesús.

Josué: guió a los israelitas tras la muerte de Moisés y tomó la ciudad de Jericó.

Juan: uno de los doce discípulos de Jesús.

Juan el Bautista: primo de Jesús. Se dedicó a preparar al pueblo para la llegada de Jesús. Fue decapitado por orden del rey Herodes Antipas.

Judá: uno de los doce hijos de Jacob. Sus descendientes formaron una de las doce tribus de Israel. Judá es también el nombre de un reino.

Judas Iscariote: discípulo de Jesús que lo entregó a los sacerdotes principales y a los guardias del templo a cambio de treinta monedas de plata.

Judíos: pueblo elegido por Dios. También llamados hebreos e israelitas.

Labán: hermano de Rebeca y padre de Raquel.

Lázaro: hermano de María y Marta a quien Jesús resucitó cuando llevaba muerto cuatro días.

Lot: sobrino de Abraham que se separó de éste y tomó las mejores tierras para sus rebaños.

Manoj: padre de Sansón.

María: la madre de Jesús. La hermana de Marta y Lázaro también se llamaba María y era muy amiga de Jesús. La hermana de Moisés también se llamaba María.

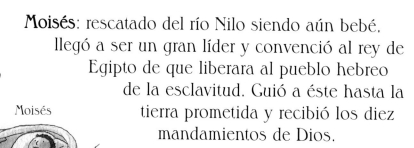

María

María Magdalena: amiga de Jesús y la primera que lo vio después de muerto.

Marta: amiga de Jesús y hermana de María y Lázaro.

Mateo: recaudador de impuestos que se convirtió en uno de los discípulos de Jesús.

Micol: hija del rey Saúl y esposa de David.

Míriam : hermana de Moisés.

Misac: amigo de Daniel.

Moisés

Moisés: rescatado del río Nilo siendo aún bebé, llegó a ser un gran líder y convenció al rey de Egipto de que liberara al pueblo hebreo de la esclavitud. Guió a éste hasta la tierra prometida y recibió los diez mandamientos de Dios.

Naamán: general del ejército sirio a quien Eliseo curó de la lepra, una enfermedad de la piel.

Nabot: hombre a quien el rey Ajab mató para apoderarse de su viña mediante una conspiración de la reina Jezabel.

Nabucodonosor: poderoso rey de Babilonia que tomó Jerusalén, la destruyó, saqueó los tesoros del templo de Salomón y exilió al pueblo judío.

Nehemías: exiliado judío en Babilonia a quien el rey Ciro permitió regresar a Jerusalén para reconstruir la ciudad y su templo.

Noé: hombre fiel a Dios que construyó un arca para salvar a su familia y a todos los animales del diluvio universal enviado por Dios para inundar el mundo.

Noemí: suegra de Rut que regresó a Belén, su tierra natal.

Noé

Pedro: pescador y uno de los doce discípulos de Jesús.

Poncio Pilato: gobernador romano de Judea que ordenó la muerte de Jesús.

Putifar: capitán de la guardia del rey egipcio que compró a José como esclavo.

Rebeca

Raquel: esposa favorita de Jacob y madre de José y Benjamín.

Rebeca: esposa de Isaac y madre de Jacob y Esaú.

Rut: nuera de Noemí, a quien acompañó a Belén.

Salomé: hija de Herodías que pidió la cabeza de Juan el Bautista.

Salomón: hijo de David y sabio rey de Israel que construyó el templo de Jerusalén.

Samaritanos: habitantes de Samaria y miembros de una secta judía. En Israel, los samaritanos y los judíos se odiaban profundamente.

Sansón: israelita de fuerza prodigiosa que luchó contra los filisteos, quienes descubrieron el secreto de su fuerza y lo apresaron.

Sara: esposa de Abraham y madre de Isaac.

Saúl: primer rey de Israel. Su hijo, Jonatán, fue gran amigo del rey David. El rey Saúl murió luchando contra los filisteos.

Sansón

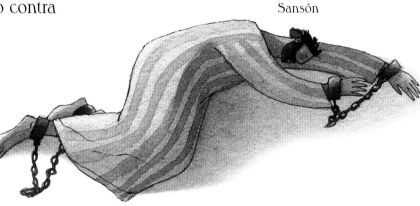

Sedecías: último Rey de Judá, capturado por los babilonios.

Sidrac: uno de los amigos de Daniel.

Simeón: uno de los doce hijos de Jacob.

Simón: uno de los doce discípulos de Jesús.

Simón de Cirene: hombre que cargó la cruz de Jesús por las calles de Jerusalén.

Tomás: uno de los doce discípulos de Jesús. No creyó que había resucitado hasta verlo con sus propios ojos.

Vasti: esposa del rey Jerjes.

Zacarías: esposo de Isabel y padre de Juan el Bautista.

Zaqueo: recaudador de impuestos de baja estatura que se subió a un árbol para ver a Jesús.

Zaqueo